O Tigre Adormecido

Outros sucessos de
Rosamunde Pilcher:

O Carrossel

A Casa Vazia

Os Catadores de Conchas

Com Todo Amor

O Dia da Tempestade

O Fim do Verão

Flores na Chuva

O Quarto Azul

O Regresso

Setembro

Sob o Signo de Gêmeos

Solstício de Inverno

O Tigre Adormecido

Um Encontro Inesperado

Victoria

Vozes no Verão

Rosamunde Pilcher

O Tigre Adormecido

12ª EDIÇÃO

Tradução
Milton Chaves de Almeida

BERTRAND BRASIL

Título original: *Sleeping Tiger*

Capa: projeto gráfico de Leonardo Carvalho
Editoração eletrônica: Imagem Virtual, Nova Friburgo, RJ

2011
Impresso no Brasil
Printed in Brazil

CIP-Brasil. Catalogação-na-fonte
Sindicato Nacional dos Editores de Livros, RJ.

P686t
12ª ed.

Pilcher, Rosamunde, 1924-
O tigre adormecido / Rosamunde Pilcher; tradução de Milton Chaves de Almeida. – 12ª ed. – Rio de Janeiro: Bertrand Brasil, 2011.
250 p.

Tradução de: Sleeping Tiger
ISBN 978-85-286-0568-6

1. Romance escocês. I. Almeida, Milton Chaves de. II. Título.

96-1158

CDD 828.99113
CDU 820(411)-3

EDITORA BERTRAND BRASIL LTDA.
Rua Argentina, 171 – 2º andar – São Cristóvão
20921-380 – Rio de Janeiro – RJ
Tel.: (0XX21) 2585-2070 Fax: (0XX21) 2585-2087

1

O vestido de noiva era creme com laivos rosados atrás, como o interior nacarado de uma concha. Feito de seda rígida e de fina qualidade, roçava o tapete aos movimentos de Selina, e, quando ela se virava, a bainha permanecia no mesmo lugar, dando-lhe a impressão de estar sendo embalada como um luxuoso presente.

— Oh, sim, você não poderia ter escolhido outro melhor do que este — atalhou a srta. Stebbings educadamente, despertando-a daquele rápido devaneio. — Assenta-lhe bem dos pés à cabeça. Mas, e quanto ao comprimento?

— Não sei. O que você acha?

— Vamos encurtá-lo um pouco... Sra. Bellows.

A sra. Bellows moveu-se do canto onde aguardava o momento de ser útil. A srta. Stebbings usava um vestido de crepe franzido, enquanto a sra. Bellows vestia um macacão de náilon preto e usava sapatos que mais pareciam chinelos que costumamos calçar momentos antes de dormir, como que para nos afagar os pés. Trazia no pulso uma almofada de alfinetes, presa por uma tira de elástico. Após aproximar-se de Selina, ajoelhou-se e marcou a bainha com alguns deles, enquanto a jovem noiva mirava-se no espelho, como a confirmar se o vestido realmente lhe caía bem dos pés à cabeça, conforme afirmara a srta. Stebbings. Na verdade, fazia-a parecer magra demais (não era possível que houvesse emagrecido mais ainda!) e suas cores apenas salientavam sua palidez, pensou. Já não tinha mais batom nos lábios e suas orelhas estavam descobertas. Tentou cobri-las com os cabelos, por meio de discretos sacolejos da cabeça, mas apenas conseguiu deslocar a grinalda de cetim que a srta. Stebbings nela pusera. Quando ergueu o braço para tentar ajeitá-la, desfez ingenuamente a bainha, o que levou a sra. Bellows a prender a respiração, como se uma terrível catástrofe houvesse acontecido.

— Perdão — disse Selina.

A srta. Stebbings respondeu com um pronto sorriso, para mostrar que não havia problemas, e perguntou, com afetação:

— E quando será o dia feliz?

— Programamos para daqui a um mês.

— Não pensam em fazer uma grande festa ...?

— Não.

— É natural... devido às circunstâncias.

— Eu nem queria fazer exatamente um vestido de noiva. Mas Rodney... o sr. Ackland... — hesitou novamente, e então disse: — Meu noivo... — A srta. Stebbings abriu um largo sorriso, com a doçura de quem entendia bem a psicologia humana. — Ele faz questão. Ponderou que minha avó, se estivesse viva, não me dispensaria do mimo de satisfazer-se, casando-me de branco.

— Também acho que não. E como ele está certo! Sempre achei que um casamento simples, tranqüilo, com a noiva de branco, tem um charme todo especial. Não haverá damas de honra?

Selina meneou a cabeça.

— Bem charmoso. Só vocês dois. Pronto, sra. Bellows? E agora, que tal lhe parece? Caminhe alguns passos, por gentileza. — Selina aquiesceu. — Ah, assim ficou melhor. Do jeito que estava, poderia tropeçar.

— Mas está um pouco largo — tornou Selina, após contorcer-se ligeiramente no farfalhante tafetá.

— Acho que você está emagrecendo — alegou a srta. Stebbings, puxando o tecido, como se estivesse tentando um melhor ajuste para o vestido.

— Talvez eu engorde até o dia do casamento.

— Não creio. Acho melhor fazermos um pequeno acerto, apenas por precaução.

A sra. Bellows ergueu-se e inseriu alguns alfinetes na cintura do vestido. Selina virou-se e avançou alguns passos. Em seguida, a sra. Bellows ajudou a abri-lo e a tirá-lo delicadamente, por cima da cabeça, amparando-lhe nos braços.

— Quando ficará pronto? — perguntou Selina, vestindo o suéter.

— Creio que em duas semanas — respondeu a srta. Stebbings. — Você se decidiu mesmo por esta pequena grinalda?

— Acho que sim. É bem simples.

— Providenciarei para que você a receba alguns dias antes do casamento, de modo que possa mostrá-la ao seu cabeleireiro. Seria lindo vê-la exibindo um penteado altaneiro, erguendo-se do centro da grinalda...

Selina tinha uma cisma com as orelhas, as quais considerava grandes e feias, mas devolveu, insegura: — Sim —, estendendo a mão para pegar a saia.

— E você se encarregará de conseguir os sapatos, srta. Bruce?

— Sim, comprarei sapatos brancos. Muito obrigada, srta. Stebbings.

— Não há de quê. — A srta. Stebbings ofereceu, de braços estendidos, a jaqueta do conjunto de Selina e a ajudou a vesti-la. Percebeu que Selina estava usando o colar de pérolas de sua avó, com enfiada dupla, presa por um broche cravejado de safiras e diamantes. Notou, também, o anel de noivado, com uma grande safira em forma de estrela e engastes alterados de pérolas e diamantes. Teve ímpetos de comentar algo a respeito, mas não queria dar a impressão de ser uma pessoa curiosa ou vulgar. Ao invés disso, num silêncio de dama, cuidou de apenas observar Selina pegar as luvas, de abrir a cortina de brocado da sala de provas e de vê-la sair.

— Até breve, srta. Bruce. Foi realmente um prazer.

Selina desceu de elevador, passou por vários departamentos e, finalmente, alcançou a rua, saindo por uma porta giratória. Depois do calor intenso dentro da loja, um frio cortante de um dia de março. Acima, o céu azul, enfeitado de nuvens brancas e ameaçadoras. Quando se aproximou do meio-fio para chamar um táxi, o vento a surpreendeu, bafejando-lhe os cabelos sobre o rosto, levantando-lhe a saia, empoeirando-lhe os olhos.

— Para onde vamos? — perguntou o motorista, um homem jovem, usando um elegante boné quadriculado. Exibia ares de quem criava galgos, para com eles apostar corridas nas horas de folga.

— Para a Bradley, por favor.

— Uau!

O interior do táxi exalava perfume de desinfetante

misturado com o bem pouco agradável cheiro de charutos. Selina tratou de tirar o cisco do olho e, depois de conseguir, abriu a janela. No parque, narcisos rendiam-se às carícias da viração, uma moça montava um cavalo pardo, e as árvores vicejavam formosura, com as folhas ainda intocadas pela fuligem e pela poeira da cidade. Não era um dia para Londres. Era um dia para se estar no campo, escalar colinas, ou demandar as delícias do mar. As ruas e as calçadas fervilhavam de gente e de carros, empolgados todos pelo fugaz refrigério da hora do almoço. Aqui e ali, homens de negócio, mulheres fazendo compras, e datilógrafos, e *beatniks*, e hindus, e enamorados de mãos dadas, haurindo o sabor do vento. Uma senhora vendia violetas num carrinho de mão próximo à calçada, e até mesmo o velhinho indigente que caminhava de um lado para o outro, perto da sarjeta, portando cartazes de propaganda dependurados no peito e nas costas, mimoseava, contente, um narciso na lapela de seu desengonçado sobretudo.

O táxi entrou na rua Bradley e parou em frente ao hotel. O porteiro veio abrir-lhe a porta e ajudou Selina a sair. Ele a reconheceu, pois antes havia conhecido sua avó, a velha sra. Bruce. Selina sempre viera almoçar no hotel com sua avó desde bem pequenina. Agora a sra. Bruce havia falecido e Selina chegou para almoçar sozinha, mas o porteiro ainda se lembrava dela, e a chamou pelo nome.

— Bom-dia, srta. Bruce.

— Bom-dia. — Ela pagou ao motorista, agradeceu-lhe e seguiu em direção à portaria. — O sr. Ackland já chegou?

— Sim, há uns cinco minutos.

— Oh, céus, estou atrasada!

— Não é nada demais fazê-los esperar um pouco — arriscou o porteiro.

Ele abriu a porta para Selina, e ela penetrou no amplo e aquecido interior. O ar impregnava-se com o cheiro de bons charutos, de pratos deliciosos, de flores e de perfumes. Grupos de gente elegante sentavam-se aqui e acolá, despertando em Selina a noção de desgrenhamento e desmazelo. Dispôs-se a esguelhar-se furtivamente na direção do toalete feminino, quando um homem que se demorava sozinho no bar a viu, levantou-se, e dela se aproximou. Ele era alto e belo, beirando os 35 anos, envergando a típica, cinza vestidura dos homens de negócios, uma camisa com listras suaves, uma discreta gravata Regimental. Seu rosto exibia feições delicadas, sem denúncia de rugas. As orelhas mal se salientavam do escalpo, e os cabelos eram castanhos, densos e lisos, pendendo, atrás, até a reluzente gola de sua camisa. Colgada no colete bem talhado, luzia a corrente de um relógio de ouro, assim como no pulso cintilavam abotoaduras do mesmo material. Ele aparentava o que realmente era: rico, bem apresentado, beneficiário de imensos dotes da educação e ligeiramente pomposo.

— Selina — disse.

Subitamente frustrada em sua fuga para o toalete, Selina virou-se e pousou nele os olhos.

— Oh, Rodney...

Hesitante, recepcionou-lhe com um beijo, e ouviu: — Você está atrasada.

— Eu sei. Sinto muito. O trânsito estava terrível.

Os olhos de Rodney, embora extremamente gentis, denunciavam a opinião de que ela estava um lixo. Assim que pensou em dizer: — Preciso retocar a maquilagem — Rodney antecipou-se, sugerindo: — Pode ir retocar a maquilagem. Eu aguardo aqui. — Isto, Selina achou enlouquecedor. Hesitou por alguns instantes, perguntando-se se conviria explicar que estava dirigindo-se para o toalete quando ele a abordara, mas decidiu que não valia a pena. Em vez disso, sorriu. Rodney devolveu-lhe o sorriso, e, ambos aparentemente em perfeito acordo, separaram-se momentaneamente.

Selina, ao retornar, os cachos de cabelos ajeitados e bem penteados, a maquilagem do nariz retocada, o batom refeito, encontrou Rodney sentado num sofá de cetim, aguardando-a. À frente dele, havia uma mesinha, sobre a qual depusera seu Martini e um copo de Xerez, que sempre pedia para Selina. Ela sentou-se ao seu lado. Então, ele disse:

— Querida, antes de conversarmos sobre qualquer coisa, preciso lhe dizer que não poderemos compartilhar emoções esta tarde. Vou receber a inesperada visita de um cliente às 2h, um homem muito importante. Você não se importa, não é? Podemos nos encontrar amanhã.

Os planos do futuro casal eram visitar o apartamento que Rodney havia alugado, e no qual pretendiam começar suas vidas de casados. O apartamento havia sido pintado recentemente, além de providenciarem a reforma do encanamento e da fiação. Agora, tudo que lhes restava fazer era tomar as medidas dos tapetes e das cortinas, e escolher as combinações de cores.

Selina lhe respondeu que certamente não se importava. Adiar tais providências para o dia seguinte não lhes prejudicaria os planos. Interiormente graças ao fato de ter mais 24 horas antes de ser compelida a decidir-se sobre a cor do tapete da sala de estar e sobre os méritos alternativos da chita e do veludo.

Rodney sorriu-lhe novamente, acalentado pela aquiescência de Selina. Segurou-lhe a mão, deslocando o anel de noivado de maneira que a safira ficasse bem no meio do seu fino dedo e perguntou:

— O que você esteve fazendo esta manhã?

Em troca de uma pergunta tão franca, Selina presenteou-lhe com uma resposta romântica.

— Estive providenciando o vestido de noiva.

— Querida! — exclamou, embevecido. — Onde você mandou fazer?

— Sei que parece pouco criativo — ponderou Selina —, mas a srta. Stebbings, encarregada do setor de vestidos da loja de departamentos em que costumo fazer compras, pareceu-me a pessoa ideal para me auxiliar na escolha do vestido, já que também eu preferiria recorrer a alguém conhecido. Acho que, de outro modo, cometeria um terrível disparate e compraria algo desesperador.

— Ah, mas por que pensar que faria isso?

— Oh, querido, você sabe como sou impulsiva na hora de comprar; eles conseguem me empurrar qualquer coisa.

— Como é o vestido?

— Bem, é branco, quero dizer, creme com detalhes rosados. Não poderia descrevê-lo precisamente...

— Mangas longas? É curto ou comprido?

Curto ou comprido! Selina virou-se, fitando-o.

— Curto ou comprido? Mas naturalmente que é longo. Oh, Rodney, você acha que eu deveria ter comprado um vestido curto? Nunca me ocorreu a idéia de comprar um vestido de noiva curto. Nem mesmo pensei que você poderia concordar com tal decisão, se por acaso eu tivesse optado por ele.

— Querida, não fique tão preocupada.

— Talvez fosse melhor ter escolhido um vestido curto.

Já que teremos uma cerimônia singela, um vestido longo parecerá ridículo, não acha?

— Você poderia trocá-lo.

— Não posso. Está sendo ajustado.

— Bem, então... — Rodney procurava minorar-lhe a ansiedade. — Nesse caso, não pense mais nisso.

— Você não acha que parecerei uma tola?

— Claro que não.

— É muito bonito. Verdade.

— Tenho certeza de que deve ser. Bem, agora tenho uma novidade para lhe contar. Estive conversando com o sr. Arthurstone, e ele concordou em ser nosso padrinho de casamento.

— Oh!

O sr. Arthurstone, um velho solteirão, tremendamente conservador, era o sócio majoritário de Rodney. Ele sofria de artrite nos joelhos, e a idéia de ser conduzida até o altar amparando, ao invés de ser amparada, o sr. Arthurstone era desencorajadora.

Rodney continuava falando, com os sobrolhos erguidos, como em subconsciente desconfiança.

— Querida, você não parece contente com o fato.

— Oh, eu estou. Foi tão gentil da parte dele ter aceito. Mas, há mesmo a necessidade de ser conduzida até o altar? Não poderíamos simplesmente ir para a igreja juntos, e subirmos a nave e então nos casarmos?

— Você sabe que isso não seria nada convencional.

— Mas eu nem mesmo conheço o sr. Arthurstone.

— Claro que você o conhece. Ele cuidou dos negócios de sua avó durante anos.

— Mas isso não é o mesmo que conhecê-lo.

— Querida, tudo que precisa fazer é subir a nave com

ele. É necessário que alguém a conduza até o altar. Se agirmos de outro modo, poderemos chocar os convidados.

— Continuo a achar que não é necessário.

— Querida, é assim que as coisas devem ser feitas... Ademais, não há nenhuma outra pessoa para apadrinhá-la. Você sabe disso.

Naturalmente que Selina sabia não haver outro que pudesse fazer o papel de padrinho. Nem pai, avô ou irmão. Ninguém. Apenas o sr. Arthurstone.

Suspirou profundamente.

— É. Suponho que sim.

Rodney afagou-lhe as mãos.

— Essa é a minha garota! Bem, tenho uma outra surpresa para você. Um presente.

— Um presente? — animou-se, curiosa. Seria possível ter sido Rodney contagiado também pela alegria primaveril daquele ensolarado dia de março? Teria sido ele, enquanto seguia para o hotel para almoçar com ela, inspirado a entrar numa charmosa boutique e comprar-lhe um presente qualquer para enriquecer de ternura ainda mais o seu dia? — É mesmo, Rodney? Onde está?

(No bolso? Presentes caros geralmente são pouco volumosos.)

Rodney levou uma das mãos para trás e pegou um pacote embrulhado e amarrado com papel e barbante comuns, afigurando-se o objeto aos olhos de Selina como sendo indubitavelmente um livro.

— Aqui está.

Selina tentou evitar que o desapontamento lhe transparecesse do rosto. Então era um livro. Acalentava a esperança de ser, ao menos, um livro interessante.

— Oh, um livro!

E era pesado — o suficiente para apagar-lhe gradualmente o sorriso dos lábios. Seria provavelmente um livro didático, daqueles que provocam pensamentos de reflexão, abordando inteligentemente várias questões sociais da atualidade. Ou talvez um guia de viagens, alinhando relatos oculares dos curiosos costumes de alguma tribo da África Central. Rodney desenvolvera certa obsessão em aprimorar os conhecimentos de Selina, e sentia-se profundamente angustiado ao vê-la manifestar predileção por revistas, novelas de pouco ou nenhum valor literário e livros de histórias policiais.

O mesmo fato ocorria relativamente a outros ramos da cultura. Selina adorava teatro, mas não podia suportar um "teste de resistência" de quatro horas de duração sobre duas pessoas vivendo numa lata de lixo. Da mesma forma, apreciava intensamente o bailado; contudo, preferia assistir a espetáculos com as bailarinas usando as clássicas saias *tutu*, em homenagiosos volteios às valsas de Tchaikovsky. Suas preferências musicais não incluíam concertos de solistas do violino, que invariavelmente faziam-na ter a sensação de estar chupando limão durante todo o espetáculo.

— Sim — confirmou Rodney. — Eu já li. Fiquei tão impressionado com ele que resolvi presenteá-la com uma cópia.

— Você foi muito gentil. — Selina tomou o pacote em suas mãos e perguntou: — É a respeito do quê?

— É sobre a vida dos habitantes de uma ilha do Mediterrâneo.

— Parece interessante.

— Na verdade, é mais precisamente uma espécie de autobiografia, segundo pude avaliar. O autor se mudou para lá há cerca de seis ou sete anos. Reformou uma casa, integrou-se perfeitamente ao estilo de vida da ilha. Conforme ele relata no livro, a maneira de viver dos moradores me parece sensata e muito saudável. Você vai gostar, Selina.

— Sim, estou certa disso — tornou Selina, colocando o embrulho no sofá, ao seu lado. — Muito obrigada, Rodney, por ter-me presenteado com uma cópia.

Depois de almoçarem, os noivos se despediram na calçada, ambos fitando-se mutuamente, Rodney com seu chapéu coco inclinado para a frente, Selina segurando seu presente, com os cabelos esvoaçando sobre o rosto.

— O que você pretende fazer esta tarde? — perguntou Rodney.

— Não sei.

— Por que não ir até a Woollands e tentar decidir-se sobre as cortinas? Se você conseguisse o modelo, poderíamos levá-lo para o apartamento quando formos lá amanhã à tarde.

— Sim. — Parecia o melhor a fazer. — É uma boa idéia.

Rodney lhe sorriu encorajadoramente. Selina devolveu-lhe o sorriso.

— Então até amanhã — despediu-se ele, abstendo-se de beijá-la no meio da rua.

— Até amanhã, Rodney. Obrigada por ter vindo almoçar comigo, e também pelo presente — lembrou-se de acrescentar.

Ele esboçou um pequeno gesto com a mão, buscando poupar-lhe a manifestação de agradecimento e, ao mesmo tempo, evidenciar o prazer que sentia em satisfazê-la. Então, com um último sorriso, virou-se e se afastou, caminhando com o guarda-chuva como quem maneja contente e aprumadamente uma bengala, avançando ligeira e habilmente por entre os transeuntes. Ela o acompanhou com o olhar, esperançosa de vê-lo virar-se para um derradeiro aceno, mas Rodney não lhe percebeu o anseio.

Selina, sozinha, suspirou. O dia agora estava mais quente do que nunca. Todas as nuvens haviam sido recolhidas pelo vento, e ela não podia suportar a idéia de recolher-se numa loja abafada, tentando escolher o modelo de cortina para a sala de estar. Caminhou despreocupadamente até a Picadilly, atravessou perigosamente a pista, e entrou no parque. Naquele ninho bem cuidado, as árvores vigiavam em cimos de beleza, e a grama renovava-se em verdejante resplendor, não mais suja ou queimada pela inclemência do inverno. Percebeu, sob o tato dos pés e pelo olfato sensível, o viçoso frescor das forradeiras pisoteadas, como um gramado de verão. Tapetes de açaflores amarelos e purpúreos derramavam-se no seio do parque, recepcionando-lhe cerimoniosamente a sensibilidade, enquanto espreguiçadeiras a convidavam a aconchegar-se à sombra das árvores.

A jovem noiva sentou-se em uma delas, recostando-se, e abandonou as pernas ao conforto da ocasião, postando o rosto para cima, invocando o tépido beijo do sol. Em pouco tempo, sentiu a pele formigar com a incidência dos raios luminosos. Aprumou-se para se livrar da jaqueta do seu conjunto e arregaçou as mangas do suéter, persuadindo-se de que poderia demorar-se longamente ali e ir à Woollands na manhã seguinte.

Próximo do lugar onde se acomodava, uma criança pedalava alegremente o seu velocípede, com seu pai e um cãozinho seguindo-lhe os movimentos. Ela vestia calças colantes vermelhas e um curto vestido azul, trazendo os cabelos presos por uma fita preta. Seu pai era bem jovem, e usava um suéter com gola tipo pólo e uma jaqueta de xadrez, de lã escocesa. Quando largou o velocípede e avançou sobre a grama para cheirar os açaflores, o pai não fez menção alguma de impedi-la, mas apenas a observou, segurando o brinquedo para que não se afastasse, sorrindo ao vê-la curvar-se e exibir a graciosidade do fundo das calças. — Eles não têm cheiro — estranhou a menina.

— Eu poderia ter-lhe dito antes — advertiu o pai.

— Por que eles não têm cheiro?

— Não sei por que são assim.

— Pensei que todas as flores tinham perfume.

— A maioria delas tem. Vamos agora.

— Posso pegar alguns?

— Acho melhor não fazer isso.

— Por quê?

— As pessoas que cuidam do parque não gostam.

— Por que não?

— É o regulamento.

— E por que o regulamento não deixa?

— Bem, outras pessoas também têm o direito de apreciá-los. Agora vamos.

A menina obedeceu, acomodou-se no velocípede e seguiu pedalando ao longo da vereda, sob o zelo do pai. Selina assistiu à cena dividida entre a alegria e a melancolia. Durante toda a sua existência, havia prestado atenção à vida e à conversa de outras famílias, outras crianças, outros pais. Suas atitudes mútuas sugeriam-lhe especulações infindáveis. Quando criança, ao ser convidada para se distrair no parque por Agnes, sua babá, rondava, hesitante, as brincadeiras das outras crianças, desejando intensamente ser convidada a participar dos folguedos, pois era muito tímida para pedir. Nem sempre era espontaneamente convidada. Suas roupas eram invariavelmente bem arrumadas, e Agnes, costumeiramente tricotando num banco próximo, parecia guardar no porte e no semblante elementos de dissuasão para quem dela tentasse se aproximar. Se lhe ocorresse a idéia de que Selina estivesse prestes a envolver-se com um grupo de crianças que a velha sra. Bruce certamente consideraria "impróprio", recolhia então o novelo de lã, metendo nele as agulhas, e anunciava que estava na hora de retornarem para Queen's Gate.

Erguia-se lá um lar de mulheres — um pequeno mundo feminino, governado pela sra. Bruce. Agnes, que antes fora sua criada, a sra. Hopkins — a cozinheira —, e Selina formavam o séquito de súditos fiéis e obedientes. Os homens nunca tinham acesso àquele refúgio doméstico, com exceção do sr. Arthurstone, o advogado da avó de Selina, e, mais recentemente, Rodney Ackland, representando aquele, ressalvando-se que também ambos raramente lá entravam. Quando havia a necessidade da presença de um homem na casa — como para consertar o encanamento, ler o registro da luz ou fazer alguma pintura —, Selina invariavelmente buscava-lhes a companhia, para lhes fazer perguntas. Eram casados? Tinham filhos? Quais eram os nomes das crianças? Onde haviam passado suas últimas férias? Era uma das poucas coisas que fazia Agnes zangar-se.

— O que a sua avó acharia se a surpreendesse interrogando-os desse jeito, impedindo-os de trabalharem sossegados?

— Mas eu não atrapalho nem um pouquinho... — Às vezes, Selina teimava em não obedecer.

— Por que precisa conversar tanto com eles?

Não sabia responder, pois não entendia por que era tão importante municiar-se de reserva.

Quanto ao pai, ninguém lhe falava a respeito. Seu

nome nunca era mencionado. Selina nem mesmo sabia como ele se chamava, já que herdara o sobrenome da avó.

Certa vez, indignando-se de alguma forma sobre o fato de nem ao menos saber o nome do pai, disparou: — Queria saber onde o meu pai está. Eu não tenho pai? Toda criança tem um pai.

Foi então informada calma e delicadamente que ele havia morrido.

— Você quer dizer que ele foi morar no céu? (Selina era levada às aulas de catecismo regularmente.)

A sra. Bruce deteve-se enfadonhamente por alguns instantes, embaraçada pelo dificultoso ponto de tricô do tapete de lã que estava fazendo e pelo incômodo interrogatório de Selina. A idéia *daquele* homem convivendo com os anjos era-lhe difícil de engolir, mas procurava manter-se fiel aos preceitos de sua religião e decidiu que seria errado desiludir a criança.

— Sim — respondeu.

— O que lhe aconteceu?

— Ele morreu na guerra.

— Como ele morreu? (Não podia imaginar nada mais terrível do que ser atropelada por um ônibus.)

— Nunca soubemos, Selina. Sinceramente, não sabemos exatamente. Agora — a sra. Bruce voltou os olhos para o relógio com ares de quem procurava indicar que a conversa estava encerrada —, vá procurar Agnes e diga-lhe que está na hora do seu passeio.

Agnes, quando por ela abordada, mostrava-se menos reticente em falar sobre o assunto.

— Agnes, meu pai morreu.

— Sim, eu sei — confirmou Agnes.

— Desde quando ele está morto?

— Desde que a guerra terminou, em 1945.

— Ele chegou a me conhecer?

— Não. Ele morreu antes de você nascer.

Isto lhe pareceu desencorajador.

— Você chegou a conhecê-lo?

— Sim — tornou Agnes, relutante. — Eu o conheci quando sua mãe e ele ficaram noivos.

— Qual era o seu nome, Agnes?

— Ah, isso eu não posso lhe dizer. Prometi à sua avó que não diria. Ela não quer que você saiba.

— Ele era bonzinho? Era bonito? Qual era a cor dos seus cabelos? Quantos anos ele tinha? Você gostava dele?

Agnes, que também acolhia altos princípios morais, respondeu a única pergunta que achou pudesse fazê-lo francamente.

— Ele era muito bonito. Agora, acho que já chega. Apresse-se, sem arrastar os pés, pois assim estragará o bico dos seus sapatos novos.

— Gostaria de ter um pai — disse Selina, e, algum tempo depois, naquela mesma tarde, passou meia hora ou mais observando pai e filho brincarem com um barquinho no lago do parque, acercando-se gradual e furtivamente dos dois na esperança de escutar-lhes a conversa.

Encontrou a fotografia quando tinha quinze anos. Lá fora, uma quarta-feira londrina chuvosa e triste. Não havia nada com que se distrair. Agnes havia tirado seu dia de folga, enquanto a sra. Hopkins sentava-se a um canto, entretendo-se com a leitura de *People's Friend*, com as pernas afetadas pela artrite apoiadas num escabelo. Sua avó organizara uma rodada de *bridge*, e o abafado murmúrio de vozes e o cheiro de cigarros caros insinuavam-se pelas fendas das portas fechadas da sala de estar. Nada para fazer! Selina, vagueando inquieta pela casa, foi parar no quarto de hóspedes, e contemplou por rápidos instantes a vista exterior através da janela. Em seguida, imitou o rosto de algumas estrelas do cinema no espelho de lâminas triplas, e, quando estava prestes a sair, notou alguns livros guardados no pequeno criado-mudo disposto entre as duas camas de solteiro do quarto. Veio-lhe uma intuição de que talvez encontrasse no meio de alguns deles algum que ainda não houvesse lido, e com tal idéia em mente ajoelhou-se por entre as camas e correu o dedo indicador sobre os títulos.

Deteve-se interessadamente em *Rebecca*, um livro com capa amarela, publicado na Segunda Guerra. Ela o pegou e o abriu, deixando cair uma fotografia oculta entre as páginas com letras compactamente impressas. Selina a recolheu do assoalho. Um homem uniformizado. Tinha os cabelos bem escuros, uma fissura no queixo e as sobrancelhas irregulares. Seus olhos brilhavam de alegria, não obstante as feições do rosto guardarem apropriada solenidade. Era um soldado. Trazia um uniforme bem talhado, exibindo uma apresentação impecável, realçada pelo brilho do talabarte que lhe pendia dos ombros.

Era o início de maravilhosas conjecturas. Em algum lugar, por trás daquelas misteriosas manifestações de silencioso júbilo, havia algo que se afeiçoava à própria Selina. Ela conduziu a fotografia até o espelho, tentando encontrar indícios de semelhança nas linhas do próprio rosto, na forma como lhes caíam os cabelos, nos traços retilínios do queixo. Mas não havia muito o que comparar. Ele era muito bonito; Selina não era mais que vistosa. As orelhas do pai mal ressaltavam da cabeça, enquanto as de Selina assemelhavam-se a um par de abas de jarro.

Virou a fotografia ao contrário. Atrás, estava escrito:

À querida Harriet,
de G.

e algumas manifestações de afeto.

Harriet era o nome de sua mãe, o que levou Selina a convencer-se de que o homem na fotografia era seu pai.

Colocou *Rebecca* de volta no criado-mudo, e levou a fotografia para o seu quarto. Desde então, passou a carregá-la consigo aonde quer que fosse, envolta em papel fino para mantê-la limpa e conservada. Sentia que agora tinha, ao menos, uma origem, embora débil, já que conhecer seu pai por meio de uma fria e inerte imagem não preenchia seus anseios, e continuava a observar outras famílias, ainda escutando-lhes as conversas...

Nunca revelou a ninguém o fato relacionado à fotografia.

A voz de uma criança interrompeu-lhe os pensamentos. Estivera tecendo devaneios sob o influxo do sol generoso. Agora, desperta, sentia o intenso barulho do trânsito da Piccadilly tanger-lhe as fibras do ser, bem como a aguda tagarelice da jovem criança, que ensaiava os primeiros passos sob o amparo de um andador de bebê. A outra menina, que pedalava o velocípede, e seu pai já se haviam retirado fazia muito tempo. Outras pessoas acomodaram-se aqui e ali, e um simpático casal se abraçava, plenamente despreocupado das vistas alheias, bem próximo de onde Selina se reclinava.

A cadeira de madeira havia-se tornado desconfortável àquela altura. Selina mudou ligeiramente de posição, e o livro com que Rodney lhe havia presenteado escorregou-lhe do colo, caindo na grama. Ela inclinou-se para a frente, pegou-o e começou a desembrulhá-lo casualmente. Sua sobrecapa era branca e lustrosa, com o seguinte título em letras vermelhas:

FIESTA EM CALA FUERTE
por George Dyer

Selina deixou descair os cantos da boca. O livro era bem pesado. Folheou-lhe as páginas e, em seguida, o fechou, como se já tivesse terminado de ler, pousando-o no colo com a frente voltada para baixo.

O rosto saltou-lhe às vistas, como acontece com o nome de uma determinada pessoa, subitamente identificado na coluna de um artigo de jornal. Enquadrava-se numa fotografia, ampliada para preencher parte do espaço da quarta contracapa. George Dyer. Ele usava uma camisa branca de gola em V, e sua pele, com ela contrastando, era escura como o couro. Seu rosto exibia rugas que se expandiam dos cantos externos dos olhos, e profundas estrias lhe marcavam a testa e que também se estendiam do nariz até a boca.

Mas, sem dúvida, aquele era o mesmo rosto que ela tinha visto na fotografia. Ele não havia mudado tanto assim. A fissura no queixo dirimia qualquer dúvida. Lá estavam as mesmas discretas orelhas e o brilho de alegria no olhar, como se ele e o fotógrafo compartilhassem a graça de alguma piada obscena.

George Dyer. Escritor. Morava numa ilha do Mediterrâneo e escrevera um livro sobre a vida equilibrada e saudável dos ilhéus. George Dyer. Esse era o seu nome. Selina pegou a bolsa, tirou a fotografia de seu pai, e, com as mãos trêmulas, colocou uma ao lado da outra.

George Dyer. Havia escrito um livro e estava vivo.

2

Tomou um táxi de volta para Queen's Gate. Ao chegar, subiu as escadas correndo, irrompeu no apartamento e chamou por Agnes.

— Estou aqui na cozinha — respondeu Agnes.

Agnes estava fazendo chá. Quando Selina surgiu à porta da cozinha, alçou o olhar. Era uma mulher de feições delicadas, e parecia nunca envelhecer. Esculpia em si um semblante de ligeira amargura, à semelhança de um broquel sempre pronto para amortecer os golpes das vicissitudes da vida, pois tinha o coração mais generoso do mundo, que se compadecia intensamente das aflições e tristezas dos outros, as quais, na maioria das vezes, via-se incapaz de aliviar. — Pobres argelinos — costumava dizer, vestindo em seguida um chapéu para sair e comprar um vale postal, provavelmentede um valor acima de suas possibilidades. Durante a Campanha contra a Fome, havia ficado sem almoçar por vários dias consecutivos, sofrendo cruelmente da sensação de cansaço e dos distúrbios intestinais resultantes.

O aforamento do apartamento de Queen's Gate já havia sido negociado, e quando Rodney e Selina se casassem e mudassem para a nova casa, Agnes os acompanharia.

Jamais Selina deixaria a velha e boa Agnes desamparada, não obstante ela houvesse manifestado o desejo de recomeçar a vida sozinha. Selina assegurou-lhe que havia ponderado judiciosamente a questão, concluindo não ter vislumbrado nada que impedisse Agnes de fazer parte do novo ninho doméstico prestes a se formar. — Bem, mas e quanto ao sr. Ackland? Céus, minha presença no novo lar poderia parecer-lhe que a sogra houvesse ressuscitado! — argumentou Agnes. Rodney, instruído por Selina, tentou dissuadi-la, explicando-lhe não haver qualquer objeção de sua parte que a impedisse de juntar-se a eles no novo lar. Agnes tentou ainda objetar, dizendo não gostar da idéia de se mudar, pois se achava muito velha para tanto. O último argumento para convencê-la foi levá-la ao novo apartamento. Ficou embevecida — justamente como eles haviam previsto — com a beleza e o conforto do novo lar, com a cozinha em estilo americano, bem iluminada pela luz do sol, e com a pequena sala de estar, que seria um cantinho todo seu, e a qual dava vista para o parque, tendo seu próprio aparelho de TV. Afinal de contas, ela os acompanharia para prestar ajuda. Iria para trabalhar, e sem dúvida se tornaria babá novamente, com seu berçário familiar para administrar, e uma geração de crianças para cuidar, uma idéia que lhe fazia vibrar novamente as fibras dos instinto materno.

Mas, agora, em pensamento, disse:

— Você voltou cedo. Pensei que tivesse ido ao apartamento tirar as medidas do assoalho. — Selina, ofegante, demorou-se na porta por alguns instantes, com as maçãs do rosto enrubescidas pela correria, exibindo no semblante o vítreo azul dos olhos. Agnes franziu os sobrolhos e perguntou:

— Há algum problema, querida?

Selina avançou alguns passos e pôs o livro na mesa entre Agnes e ela.

— Você já viu essse homem antes? — perguntou.

Agnes, alvoroçada, deixou o olhar fixo e esbugalhado cair lentamente sobre o livro na mesa. Sua reação não permitia dúvidas. Arquejou num rápido sobressalto, deixou cair a colher com que fazia o chá, e sentou-se abruptamente numa cadeira azul. Selina, apesar de entrever Agnes levando a mão ao coração, curvou-se sobre a mesa e tornou a perguntar:

— Você já o viu, Agnes?

— Oh, que susto você me deu! — protestou.

— Você o conheceu, não é verdade? — insistiu Selina, inflexível.

— Oh, Selina... Onde você... Como soube... Quando você... — Parecia incapaz de formular sequer uma única pergunta ou frase completa. Selina pegou uma cadeira e sentou-se à mesa, defronte de Agnes.

— É o meu pai, não é? — Agnes deixou entrever que parecia prestes a chorar. — George Dyer? Era esse o nome dele?

Agnes tentou se recompor e respondeu:

— Não. Não era esse o seu nome — disse.

— Então, qual era o seu nome? — inquiriu Selina, ansiosa.

— Gerry... Dawson.

— Gerry Dawson. G. D. As mesma iniciais. O mesmo rosto. É um pseudônimo.

— Mas, Selina... seu pai morreu. Logo após o desembarque das tropas aliadas no norte da França, em junho de 1944.

— Como você sabe que ele morreu? Alguma testemunha o viu partir-se em pedaços sob a explosão de uma bomba? Ele morreu nos braços de alguém? Que provas temos de sua morte?

Agnes correu a língua sobre os lábios, e respondeu:

— Ele desapareceu durante os combates. Foi dado como morto.

— Então não se pode ter certeza de sua morte — argumentou Selina, empolgada por um fio de esperança.

— Passaram-se três anos sem que se soubesse o seu paradeiro. Depois disso foi considerado morto. A informação oficial foi dada à sua avó, pois Harriet... Bem, você sabe, ela morreu quando você nasceu.

— Meu pai não tinha parentes?

— Nenhum que conhecêssemos. Era exatamente o que levava sua avó a opor-se à união de Harriet com seu pai. Dizia que ele não tinha passado algum. Nenhuma referência ou tradição. Harriet o conheceu numa festa. Sua avó nunca teve ocasião de conhecê-lo adequadamente, da forma que achava conveniente.

— Por Deus, Agnes, uma guerra estava em andamento! E durou cinco anos! Vovó não levou isso em consideração?

— Talvez, mas ela tinha os seus princípios e suas tradições, e procurava manter-se fiéis a eles. Não há nada de errado nisso.

— Mas de nada adiantou. Minha mãe se apaixonou por ele.

— Inultimente.

— E eles se casaram.

— Sem o consentimento de sua avó.

— E ela perdoou minha mãe?

— Oh, sim, não era uma pessoa de guardar ressentimentos. E, de qualquer forma, Harriet acabou vindo morar aqui. Você sabe que seu pai foi enviado... Bem, naqueles dias eles chamavam de *algum lugar da Inglaterra.* Mas ele foi enviado para a França... dois dias após a invasão da Normandia. Morreu logo depois. Nunca o vimos novamente.

— Então, eles estiveram casados por ...

— Três semanas. — Agnes engoliu em seco. — Mas eles tiveram lua-de-mel e ficaram juntos por alguns dias.

— E minha mãe engravidou — disse Selina. Agnes a fitou, chocada diante de inesperadas palavras. Não imaginava que Selina pudesse utilizar-se de tal vocabulário, ou mesmo tivesse conhecimento de questão tão íntima.

— Bem, sim — posou os olhos na fotografia da contracapa do livro e o posicionou convenientemente para melhor observá-la, detendo o olhar no malicioso brilho dos olhos negros. Castanhos, melhor dizendo. Gerry Dawson. Era realmente Gerry Dawson? Parecia com ele, sem dúvida, ou pelo menos com as feições que ele teria se estivesse vivo, belo e jovem como era.

As lembranças alinhavam-se em sua mente, nem todas desagradáveis. Ele havia despertado em Harriet o entusiasmo pela vida, e uma vivacidade que Agnes não suspeitava que ela pudesse ter. Chegou a tentar conquistar a simpatia de Agnes algumas vezes, empurrando-lhe arteiramente nas mãos uma nota de libra esterlina quando não havia ninguém por perto. Nada que a impressionasse, naturalmente, mas era divertido, de qualquer forma. Um pouco de graça numa época em que a vida, particularmente, não era nada engraçada. Vinha trazer um sopro de renovação masculina na conservadora e abafadiça atmosfera daquele mundo feminino. Apenas a sra. Bruce lhe renegava os encantos.

— "É um boêmio" — acusava a sra. Bruce. — "Quem

não consegue perceber isso? Tire-lhe o uniforme e tem-se apenas um belo aventureiro. Nenhum senso de responsabilidade. Nenhum plano para o futuro. Que tipo de vida ele pode proporcionar a Harriet?" Naturalmente, aquilo tudo era ciúme, de certa forma. Gostava de controlar a vida das pessoas, mantê-las sob as rédeas de rigorosos padrões de conduta e administrar-lhes as finanças. Tinha a intenção de escolher, ela mesma, aquele que seria o marido de Harriet. Mas, além de toda extroversão, ele tinha uma personalidade e uma força de caráter capaz de lhe opor resistência, e acabou vencendo a batalha.

Algum tempo depois, após sua morte, quando Harriet "não querendo mais", morreu, a sra. Bruce disse a Agnes: "Vou mudar o sobrenome do bebê de Dawson para Bruce. Já falei com o sr. Arthurstone sobre o assunto. Parece-me a atitude mais sensata a ser tomada."

Agnes não concordou. Mas nunca se atreveu a discutir com a sra. Bruce.

— "Sim, madame" — disse, simplesmente.

— "E, Agnes, prefiro que ela cresça sem saber nada sobre seu pai. Não lhe faria bem algum, e poderia fazê-la sentir-se insegura. Confio em você, Agnes. Não me decepcione." A sra. Bruce havia alçado o olhar por sobre a cabecinha da criança, enquanto a segurava no colo, e as duas entreolharam-se significativamente por alguns instantes.

Depois de um desconfortante silêncio, Agnes dissera novamente:

— "Sim, madame" — e recebeu como recompensa um sorriso curto e frio.

Em seguida, a sra. Bruce levantou-se e entregou Selina nos braços de Agnes.

— "Bem, assim fico mais tranqüila" — disse a sra. Bruce. — "Obrigada, Agnes."

— Creio que seja o meu pai mesmo, você não acha?

— Não tenho certeza, Selina.

— Por que você sempre se recusou a revelar-me o seu nome?

— Prometi à sua avó que nunca o faria. Agora, quebrei a promessa.

— Você não tem mais motivo para agir de outra forma.

— Mas *como* você foi capaz de reconhecê-lo? — perguntou Agnes, intrigada.

— Foi através de uma fotografia que eu encontrei há muitos anos. Nunca disse nada a nenhum de vocês.

— Você não vai fazer... fazer nada — disse Agnes com a voz trêmula só de pensar nos eventuais acontecimentos futuros.

— Eu poderia tentar localizá-lo — disse Selina.

— Que vantagem isso lhe traria? Mesmo que ele fosse seu pai?

— Sei que é meu pai. Sei que é. Tudo parece confirmar minhas suposições. Tudo que você me contou. Tudo que você me disse...

— Se ele realmente é seu pai, então por que não voltou para sua mãe quando a guerra terminou?

— Como podemos saber? Talvez tenha se ferido, perdeu a memória. Essas coisas são possíveis, sabia? — Agnes permaneceu calada. — Talvez vovó tenha sido muito dura com ele...

— Não — disse Agnes. — Isso nunca teria feito qualquer diferença. Não para o sr. Dawson.

— Ele iria gostar de saber que tem uma filha. E eu quero conhecê-lo. Quero saber como ele é. O seu jeito de falar, o que pensa e faz. Quero sentir que pertenço efetivamente a alguém. Você não imagina o que sinto, nunca tendo pertencido realmente a alguém.

Agnes entendia, pois conhecia o entusiasmo de Selina acerca de muitas coisas da vida. Ela hesitou, mas acabou fazendo a única sugestão que lhe veio à mente.

— Por que você não discute o assunto mais detidamente com o sr. Ackland?

O escritório do editor situava-se num dos últimos andares do edifício, ao fim de uma longa e incerta escalada para cujo cometimento Selina foi obrigada a pegar um elevador pequeno e sacolejante, subir pequenos lances de escada, superar corredores estreitos e, novamente, mais escadas. Ofegante, e se sentindo como se fosse parar no telhado, viu-se em frente a uma porta com a inscrição "Sr. A. G. Rutland."

Bateu. Ninguém veio atender; ouvia-se apenas o ruído de uma pessoa datilografando. Selina abriu a porta e espiou o interior da sala. Uma moça relanceou-lhe o olhar, deteve-se por um momento e disse:

— Sim?

— Gostaria de falar com o sr. Rutland.

— Você marcou hora?

— Falei com ele pelo telefone esta manhã. Sou a srta. Bruce. Ele disse que eu chegasse por volta das 10h30... — olhou o relógio. Estava 10 minutos atrasada.

— Bem, ele está atendendo uma pessoa agora. Você não poderia sentar e aguardar? — propôs a moça.

E voltou a datilografar. Selina entrou no escritório,

fechou a porta e sentou-se numa cadeira pequena e desconfortável. Ouvia, vindo da sala de atendimento, o murmúrio de vozes masculinas. Depois de aproximadamente 20 minutos, o murmúrio intensificou-se, e ela ouviu o barulho de uma cadeira sendo arrastada e o ruído de passos se aproximando da porta. Ela se abriu e um homem saiu, vestindo seu sobretudo e deixando cair um envelope repleto de papéis.

— Oh, que descuido ... — e curvou-se para pegá-lo. — Obrigado por tudo, sr. Rutland...

— Não há de quê. Volte a me procurar quando tiver novas idéias sobre o desfecho da história.

— Sim, claro.

Despediram-se. O editor começava a retornar para sua sala quando Selina levantou-se e o chamou pelo nome. Ele voltou-se e olhou para ela.

— Sim? — disse. Era mais velho do que havia imaginado; muito calvo, com o tipo de óculos que as pessoas de sua idade costumam usar, olhando tanto através das lentes como por sobre a armação. Ele a fitava agora com os olhos voltados por sobre a armação, à feição de um professor antiquado.

— Acho... acho que tenho hora marcada com o senhor.

— Tem?

— Sim. Meu nome é Selina Bruce. Eu lhe telefonei esta manhã.

— Estou muito ocupado...

— Preciso apenas de cinco minutos de seu tempo.

— Você é escritora?

— Não. Não vim aqui para isso. Apenas gostaria que o senhor me ajudasse... me desse algumas informações.

Suspirou e disse:

— Está bem.

Recuou, fazendo menção para que ela passasse, e a introduziu em sua sala. A sala exibia um tapete vermelho e uma escrivaninha cheia de papéis, além de estantes por toda a parte, livros e manuscritos empilhados em mesas, em cadeiras e até no assoalho.

Não se deu o trabalho de se justificar pela desarrumação do escritório. Parecia claramente não se preocupar com aquilo... e sem dúvida não havia necessidade. Puxou uma cadeira para que Selina se sentasse e tomou assento à sua mesa. Antes mesmo que ele se acomodasse, ela começou a explicar.

— Sr. Rutland, realmente sinto muito incomodá-lo. Não lhe tomarei um minuto além do necessário. Estou aqui para obter informações relacionadas a um livro que o senhor publicou, intitulado *Fiesta em Cala Fuerte*.

— Oh, sim. De George Dyer.

— O senhor... o senhor sabe alguma coisa sobre a sua vida?

Assimilou a pergunta inesperada com sufocante irritação, a qual deixou transparecer com irritação ainda maior por meio do olhar que lançou por sobre a armação dos óculos.

— Por que a pergunta? — disse o sr. Rutland, afinal. E devolveu: — Você sabe?

— Sim. Pelo menos acho que sei. Ele foi um... amigo de minha avó. Ela morreu há três semanas, e eu... bem, eu gostaria de informá-lo de sua morte.

— Eu poderia remeter-lhe uma carta.

Selina respirou fundo e resolveu abordar a questão de outra forma.

— O senhor sabe muito sobre a vida dele?

— Eu diria que tanto quanto você. Suponho que você tenha lido seu livro.

— Quero dizer... o senhor nunca o conheceu pessoalmente?

— Não — respondeu o sr. Rutland. — Ele mora em Cala Fuerte, na Ilha de San Antonio. Creio que mora lá há seis ou sete anos.

— Nunca mais veio a Londres desde que para lá se mudou? Nem mesmo para a publicação do livro? — O sr. Rutland meneou a cabeça, com a luminosidade da janela refletindo-se-lhe no escalpo lustroso. — O senhor sabe se ele é casado?

— Não era na época da publicação do livro. Talvez agora seja.

— E quanto anos ele tem?

— Não tenho a mínima idéia da sua idade. — Começou a demonstrar sinais de impaciência. — Minha cara jovem, você está desperdiçando o meu tempo.

— Eu sei. Sinto muito. Apenas pensei que o senhor pudesse me ajudar. Imaginei que houvesse a possibilidade de ele vir a Londres esporadicamente, o que talvez me permitisse vê-lo numa dessas ocasiões.

— Sinto muito. Mas acho que não. — O sr. Rutland levantou-se e, resoluto, procurou deixar claro que a entrevista havia terminado. Selina levantou-se também, e ele caminhou em direção à porta, abrindo-a para ela.

— Mas se você desejar comunicar-se com ele, teremos prazer em remeter-lhe todas as correspondências.

— Obrigada. Sinto ter tomado o seu tempo.

— Não há de quê. Bom-dia.

— Até breve.

Mas enquanto Selina deixava o escritório, passando

pela moça que a recebeu, parecia tão desapontada que o sr. Rutland, apesar de tudo, sentiu-se tocado no coração. Carregou ligeiramente o semblante, tirou os óculos e disse:

— Srta. Bruce.

Selina virou-se.

— Enviamos todas as cartas a ele endereçadas para o Iate Clube de San Antonio, mas o nome de sua casa é Casa Barco, em Cala Fuerte. Você poderia economizar tempo escrevendo diretamente para ele. E, se escrever, peço-lhe rememorar-lhe que ainda estou aguardando a sinopse do segundo livro. Já lhe escrevi várias cartas, mas ele parece ter uma aversão inveterada em responder.

Selina sorriu, e o editor surpreendeu-se intensamente com a transformação que aquelas palavras produziram em seu semblante. — Oh, obrigada. Sou-lhe muito grata — tornou.

— Não há de quê — disse o sr. Rutland.

O apartamento vazio não era o local mais adequado para se discutir um assunto de tal importância, mas não havia outro.

Selina interrompeu as observações de Rodney acerca dos méritos alternativos de tapetes simples e tapetes decorativos, dizendo:

— Rodney, preciso conversar com você.

Interrompido, Rodney olhou para ela evidenciando ligeira contrariedade. Notara, contudo, que durante o almoço e na subseqüente corrida de táxi, Selina não parecia a mesma. Não havia comido praticamente nada, e entremostrava ao mesmo tempo preocupação e apatia. Além disso, estava usando uma blusa que parecia não combinar com o casaco e saia vermelhos, e ele havia notado um fio corrido numa de suas meias. Normalmente, Selina cuidava-se tão bem e era tão elegante quanto um gato siamês, e essas pequenas irregularidades o preocupavam.

— Há algo de errado? — perguntou.

Selina tentou encará-lo, respirar fundo e ficar calma, mas seu coração batia como o malho na forja, e sentia no estômago a sensação de ter acabado de subir num elevador tremendamente veloz, ficando com a maior parte das vísceras na bacia.

— Não, não há nada de errado. Simplesmente preciso conversar com você.

Rodney franziu os sobrolhos e disse:

— Você não poderia esperar até hoje à noite? Esta será a única oportunidade que teremos para medir o...

— Oh, Rodney, por favor, ajude-me e escute-me.

Ele hesitou, e, em seguida, esboçando um semblante de resignação, pôs de lado o mostruário de retalhos de tapete, dobrou a régua e a guardou no bolso.

— Bem, estou ouvindo.

Selina umedeceu os lábios. O apartamento vazio a irritava. Suas vozes ecoavam, e não havia nenhuma peça de mobília, nenhum enfeite com que se entreter, nenhuma almofada para ajeitar. Sentia-se como se houvesse sido conduzida a um enorme palco, sem o apoio de deixas e a inspiração de adereços, e tinha esquecido o texto.

Por fim, respirou fundo e disse:

— É a respeito de meu pai.

O semblante de Rodney se alterou. Era um bom advogado, e gostava de uma partida de pôquer. Sabia tudo sobre Gerry Dawson, pois a sra. Bruce e o sr. Arthurstone tinham, desde muito tempo, julgado necessário mantê-lo informado acerca dos fatos que lhe diziam respeito. Ele sabia que Selina ignorava tudo que se relacionava a seu pai, e já havia deliberado que não seria ele quem lhe contaria tais fatos.

— O que você quer dizer com isso? — perguntou, gentilmente.

— Bem... acho que ele está vivo.

Aliviado, Rodney tirou as mãos dos bolsos e deixou escapar um pequeno sorriso de incredulidade. — Selina...

— Não, não diga o que está pensando. Não diga que ele está morto. Apenas escute-me por um momento. Lembra-se do livro que você me deu ontem? Sabia que havia uma fotografia do autor, George Dyer, na última capa?

Rodney gesticulou afirmativamente com a cabeça.

— Bem, o fato é que... ele se parece muito com o meu pai.

Rodney digeriu a revelação, e perguntou em seguida:

— Como você pode saber que ele se parece com o seu pai?

— Porque encontrei uma fotografia dele, há muitos anos, guardada num livro. Acho que são a mesma pessoa.

— Você quer dizer que George Dyer é... — Não ousou prosseguir.

— Gerry Dawson — Selina completou-lhe a frase, triunfante.

Rodney começou a se sentir como se lhe estivessem puxando um tapete de sob os pés.

— Como você soube o seu nome? Você nunca deveria sabê-lo.

— Agnes me disse ontem.

— Mas Agnes não tem o direito...

— Oh, Rodney, tente entender! Você não pode culpá-la. Eu a peguei de surpresa. Coloquei a fotografia de George Dyer na mesa abruptamente, bem na frente dela, e ela quase desmaiou.

— Selina, será que você não é capaz de aceitar a morte de seu pai?

— Mas, Rodney, você não entende que ele foi dado como desaparecido? Desaparecido, *supostamente* morto. Várias coisas podem ter acontecido.

— Então por que ele não retornou ao término da guerra?

— Talvez tenha adoecido. Talvez tenha perdido a memória. Possivelmente fora informado da morte de minha mãe.

— E o que ele esteve fazendo todo esse tempo?

— Não sei. Mas mora em San Antonio há seis anos. — Percebeu que Rodney iria lhe perguntar como ela havia descoberto aquilo, e acrescentou prontamente: — Ele relata tudo no livro. — Ela não queria que Rodney soubesse do seu encontro com o sr. Rutland.

— Você está com a fotografia de seu pai?

— Com a do livro, não.

— Não quis dizer isso. Refiro-me à outra.

Selina hesitou. — Sim, estou.

— Deixe-me vê-la.

— Você vai... devolvê-la...?

Rodney respondeu com um ligeiro tom de irritação na voz:

— Minha doce criança, que tipo de pessoa você acha que eu sou?

Selina arrependeu-se imediatamente, pois reconheceu que Rodney nunca agiria desabonadoramente. Foi buscar a bolsa, retirou-lhe a fotografia e a entregou a Rodney. Ele a levou até a janela e Selina pôs-se ao seu lado.

— Provavelmente não se lembrará da fotografia do livro, mas é a mesma pessoa, não tenho dúvida. Tudo confere. A fissura no queixo, os olhos, o caimento das orelhas... — disse Selina.

— O que Agnes disse?

— Não quis se comprometer, mas tenho certeza de que ela acha que é meu pai.

Rodney nada disse. Olhando, com o semblante carregado, o rosto bronzeado e alegre na fotografia, viu-se acometido de grande ansiedade. Homem profundamente honesto, Rodney nunca se iludiria quanto ao amor que sentia por Selina. Ela se havia tornado, sem que ele se desse conta, uma parte importante de sua vida. Sua aparência, com seus cabelos ruivos e sedosos, seus olhos azul-safira, eram-lhe fascinantemente sedutores, e embora suas predileções não fossem talvez tão requintadas quanto as dele, ela se mostrava encantadoramente disposta a aprender.

Ademais, havia a questão da herança dos negócios. Desde a morte de sua avó, Selina se havia tornado uma mulher de alguma posse, uma fruta madura pronta para cair eventualmente nas mãos de um homem inescrupuloso. Atualmente, Rodney e o sr. Arthurstone, em perfeito acordo, administravam suas ações e fideicomissões. Em 6 meses, Selina completaria 21 anos, e, depois disso, a última palavra a ser dada sobre a decisão das questões que envolvessem seus negócios seria dela. A idéia de o controle de todo aquele dinheiro fugindo das mãos de Rodney o fazia tremer.

Olhou para trás e pousou o olhar em seus olhos. Nunca conhecera uma garota de olhos azuis com a esclerótica tão límpida. Tinha a alvura das roupas de comerciais de detergente. Selina cheirava vagamente a limões frescos... verbena. Enquanto a fitava, parecia ouvir a voz da sra. Bruce ecoando do passado, e algumas das observações mordazes que ela se vira obrigada a fazer acerca de Gerry Dawson. *Indolente* era a que mais perdurava em sua memória. Mas outras enfileiravam-se-lhe na mente. Irresponsável. Não-confiável. Financeiramente instável.

Ele segurou a fotografia por uma das pontas e a golpeou levemente de encontro à palma da mão esquerda. Manifestou-se, afinal, irrompendo em protestos de ligeira irritação, julgando-os necessários para culpar alguém pela situação em que se encontrava.

— Naturalmente, sua avó é a única culpada por tudo isso. Essa teia de mistério, sempre ocultando-lhe o seu nome... Foi um erro ridículo.

— Por quê? — perguntou Selina, interessada.

— Porque você acabou obcecada pela idéia do ente paterno — disparou. Selina arregalou os olhos, obviamente magoada, sua boca ligeiramente entreaberta como a de uma criança assustada. Rodney prosseguiu, impiedoso:

— Você tem fixação por pais, famílias e a vida familiar em geral. O fato de você ter encontrado essa fotografia, e guardá-la — escondida — é um sintoma típico.

— Você fala como se eu tivesse sarampo.

— Estou tentando fazê-la entender que você desenvolveu um complexo relacionado ao seu falecido pai.

— Talvez ele não esteja morto — ponderou Selina. — E seu eu tenho um complexo em relação a ele, você acabou de admitir que não é culpa minha. O que há de tão errado em se ter um complexo? Não é o mesmo que ter estrabismo. Ninguém nota.

— Selina, isso não é brincadeira.

— Também acho que não.

Ela o fitava com um brilho nos olhos que se lhe afigurava um facho de ressentimento. Eles estavam discutindo. Nunca haviam discutido, e certamente aquela não poderia ser a primeira vez.

— Querida, sinto muito — disse, reconciliador, e curvando-se em seguida para beijar-lhe a boca, mas ela virou-lhe o rosto e ele beijou-lhe a face. — Você não entende, estou apenas pensando em você. Não quero que você se envolva com qualquer homem, que vá atrás dele até os confins do mundo, e depois descubra que cometeu um erro tolo.

— Mas suponhamos — disse Selina —, apenas suponhamos, que ele realmente *seja* meu pai. Vivo, e morando em San Antonio. Escrevendo livros e singrando as águas do Mediterrâneo com o seu pequeno iate e confraternizando-se com os ilhéus. Nesse caso, você gostaria que eu viesse a conhecê-lo, não é verdade? Aí, você iria fazer questão de ter um sogro.

Era a última coisa que Rodney queria.

— Não devemos pensar somente em nós mesmos. Devemos considerar também a parte que lhe toca — a ele, George Dyer — se ele é realmente seu pai ou não — disse, gentilmente.

— Não entendo.

— Depois de todos esses anos, ele conseguiu edificar para si um padrão de vida ideal. É um tipo de vida que ele escolheu de livre e espontânea vontade. Se ele quisesse ter uma família e contrair os santos laços do matrimônio e da paternidade... filhos e filhas... ele já teria feito algo para concretizar tais anseios.

— Você quer dizer que ele me renegaria? Que ele não gostaria que eu fosse procurá-lo?

— Você pensa em ir atrás dele? — indagou Rodney, chocado.

— É muito importante para mim. Poderíamos pegar um avião para San Antonio.

— Nós?

— Quero que você vá comigo, por favor.

— Isso está fora de cogitação. Ademais, eu já lhe havia dito que preciso ir a Bournemouth, e terei de ficar fora por três ou quatro semanas.

— A sra. Westman não pode esperar?

— Claro que ela não pode.

— É que eu gostaria tanto que você estivesse ao meu lado... Ajude-me, Rodney.

Rodney interpretou mal o apelo. Achou que ela quis dizer "ajude-me" num sentido prático. Ajude-me a comprar a passagem, ajude-me a pegar o avião certo, a passar pela alfândega, a pegar um táxi e a dispor da bagagem. Ela nunca havia viajado sozinha para onde quer que fosse, e ele acreditava que, sem apoio, ela não teria coragem de tentar.

Esquivou-se do seu apelo com sutis gestos de charme. Sorriu, tomou-lhe as mãos nas suas, dizendo, conciliador:

— Por que toda essa precipitação? Seja paciente. Eu sei que tudo isso deve ser muito excitante para você, deparar-se com a possibilidade de seu pai estar vivo. Compreendo, também, que sempre houve um certo vazio a ser preenchido em sua vida. Pensei que eu seria capaz de preenchê-lo.

Rodney lhe pareceu solene. — Não é isso, Rodney... — devolveu Selina.

— Mas, veja bem, nada sabemos sobre George Dyer. Não seria melhor fazermos algumas discretas investigações antes de tomarmos quaisquer atitudes das quais nos possamos arrepender? — disse Rodney, em tom de realeza.

— Eu nasci depois que ele foi dado como morto. Ele nem sabe que eu existo.

— Exatamente! Sabe, Selina, existe um velho e verdadeiro ditado que diz: nunca desperte um tigre adormecido.

— Não penso nele como um tigre. Apenas penso que talvez esteja vivo e que é uma pessoa, mais do que qualquer outra e, que eu gostaria de tê-lo ao meu lado durante toda a minha vida.

Rodney vacilou entre a ofensa e o ressentimento.

— Você está falando como se fosse criança.

— Sou como uma moeda. A moeda tem dois lados, a cara e a coroa. Eu também tenho dois lados. Um se chama Bruce; o outro, Dawson, Selina Dawson, esse é o meu verdadeiro nome. Essa é quem realmente sou. — Ela sorriu para Rodney, e aquele sorriso afigurou-se-lhe, no espelho de um poço de angústia, um sorriso que ele nunca tinha visto antes. — Você ama Selina Dawson tanto quanto ama Selina Bruce? — perguntou ela. Ele ainda segurava a fotografia do pai de Selina. Selina retirou-a de sua mão e guardou-a na bolsa novamente.

— Sim, claro que amo — tornou Rodney, demorando-se a responder um pouco mais do que o normal.

Selina fechou a bolsa, e colocou-a de lado. — Bem, já não é hora de tomarmos a medida do assoalho? — disse, ajeitando a saia como se estivesse prestes a iniciar um recital.

3

O aeroporto de Barcelona recebia os primeiros e fracos raios da aurora, que tocavam as poças d'água formadas pela mesma água da tempestade que perseguira a aeronave durante a travessia dos Pireneus. Um vento suave precipitava-se agora das montanhas, os funcionários do aeroporto pareciam todos cheirar a alho, e no salão as cadeiras e os bancos afundavam sob o sono pesado de pessoas, envoltas em casacos e mantas, com olheiras e abatidas de tanto esperar. Fora uma noite ruim. Os vôos procedentes de Roma e Palma haviam sido cancelados. Os vôos de Madri estavam atrasados.

Selina, sentindo ainda os efeitos do enjôo que experimentara na viagem, entrou pela porta giratória de vidro, e se perguntou o que fazer em seguida. Sua passagem para San Antonio era de um vôo sem escala, mas ela precisava de uma autorização de embarque. Notou, num dos balcões, um funcionário aparentando cansaço ocupado com a pesagem de bagagens, e decidiu solicitar-lhe atendimento.

Parou esperançosamente à sua frente, e ele imediatamente ergueu-lhe o olhar e dela ouviu:

— Você fala inglês?

— *Sí.*

— Tenho uma passagem para San Antonio.

Sem esboçar gesto algum, estendeu o braço para pegar a passagem e, em seguida, arrancou-lhe a parte que lhe competia, e emitiu uma autorização de embarque, juntando-a ao restante do bilhete, e finalmente a devolveu.

— Obrigada. Qual o horário de partida do avião?

— Às 7h30.

— E a minha bagagem?

— Foi devidamente rotulada com as informações do destino.

— E quanto à alfândega?

— A alfândega é em San Antonio.

— Entendo. Muito obrigada. — Seus insinuantes esforços para tentar arrancar-lhe um sorriso foram inúteis.

O atendente provavelmente tivera uma noite difícil e não parecia nem um pouco disposto a tentar mostrar-se afável.

Ela se afastou e procurou um assento. Estava extenuada, mas também muito nervosa para ser deixar dominar pela sensação de sono. O avião havia saído de Londres às 2h da madrugada, e ela passara a viagem fitando a escuridão, procurando organizar vigorosamente na memória a seqüência dos procedimentos a serem efetuados. Barcelona. San Antonio. Alfândega e passaporte, e a bagagem. Depois, um táxi. Seria muito fácil pegar um táxi. E, então, Cala Fuerte. Não devia ser uma cidade grande. Onde o inglês — George Dyer — mora?, perguntaria, e seria orientada sobre como chegar à Casa Barco, e lá o encontraria.

A tempestade os alcançou quando sobrevoavam os Pireneus. O capitão havia sido alertado a respeito, e todos estavam acordados e usando o cinto de segurança. O avião solavancava e balançava, subia e tornava a solavancar. Alguns passageiros tiveram enjôo. Selina, de olhos fechados, rogava aos céus para não ficar enjoada, e por muito pouco não ficou.

Quando atingiram o espaço aéreo de Barcelona, os raios se arremessavam em direção ao avião, alguns quase tocando perigosamente suas asas. Depois de vencerem um escuro manto de nuvens, foram acometidos pela chuva intensa, e quando se preparavam para aterrissar em Barcelona, precipitando-se sobre um vento contrário, depararam com uma pista de pouso encharcada, iluminada com o tremeluzir das luzes sobre o espelho d'água. Quando as rodas do avião tocaram a pista, lançaram pelos ares grandes lençóis de chuva acumulada, e ouviam-se todos suspirarem aliviados quando o aparelho finalmente parou e os motores foram desligados.

Sentiu no peito sensível o quanto era estranho não ter ninguém a lhe esperar. Deveria haver um motorista, um chofer uniformizado, com um carro quente e espaçoso. Ou Agnes, confeccionando os seus tapetes. Deveria haver alguém para pegar sua bagagem e lidar com a burocracia. Mas não havia ninguém. Essa era a Espanha; Barcelona às 6h da manhã de um dia de março, e não havia ninguém, exceto Selina.

Quando os ponteiros do relógio indicaram 7h, entrou no bar e tomou uma xícara de café, pagando-a com algumas pesetas que o atencioso funcionário do banco insistira para que ela trouxesse. Não era um café muito bom, mas era agradavelmente quente, e ela o tomou sentada, contemplando-se no espelho ao fundo do bar. Usava um vestido de jérsei marrom, um casaco bege, e uma bandana amarrada ao queixo, quase lhe caindo da cabeça. *Roupas de viagem,* segundo afirmara Agnes. Ela tinha idéias rígidas sobre o que considerava roupas de viagem. Conforme ensinara, o jérsei é confortável e não amarrota, e o casaco não deve ser esquecido. Os sapatos devem ser leves, mas suficientemente fortes para longas caminhadas em aeroportos onde venta muito; a bolsa, grande e espaçosa. Selina seguia esse conselho automática e invariavelmente, mesmo em situações dramáticas. Não que ajudasse, ela ainda assim sentia-se um lixo e cansada. Tinha medo de aviões, e vestir-se como um passageiro experiente não torna um nem desfaz a convicção de que se pode morrer num acidente aéreo ou perder o passaporte.

O avião que a conduzira para San Antonio lhe pareceu muito pequeno e tão confiável quanto um brinquedo. "Oh, não", receou enquanto dele se aproximava, com o vento arrojando-lhe sobre o rosto a fumaça resultante da combustão de gasolina e as poças d'água emporcalhando-lhe os sapatos à medida que caminhava. Havia poucos passageiros e eles enfileiravam-se sorumbaticamente avião adentro, como se compartilhassem suas convicções. Logo depois de colocar o cinto de segurança, serviram-lhe um docinho, e ela começou a comê-lo como se fosse um novo remédio miraculoso para a sua grande apreensão. Não era, mas também o avião não caiu.

O tempo ruim, contudo, persistia, e eles não avistaram San Antonio senão momentos antes de aterrissar. Da janela nada se via, a não ser o que pareciam cinzentos chumaços de algodão esvoaçando em direção contrária ao movimento do avião. Mas também havia chuva, e então, inesperadamente, campos de cultivo e o telhado das casas, um moinho, alguns pinheiros e a terra da cor de tijolo, e tudo brilhando sob a ribalta da chuva. O aeroporto acabara de ser construído, a pista de pouso, edificada sob o seio da terra com o concurso de um trator, a qual era agora um oceano de lama vermelha. Após terem pousado, dois mecânicos encostaram uma escada de portaló num dos lados do avião. Eles usavam longas capas de chuva amarelas e estavam sujos de lama até os joelhos. A princípio, ninguém parecia muito ansioso em sair do avião. Quando saíram, fizeram-no com o máximo de cuidado, escolhendo o melhor caminho por entre as poças d'água.

San Antonio impregnava-se do cheiro do perfume de pinheiros. Úmidos, resinosos pinheiros. A chuva, miraculosamente, parecia ter parado. Estava mais quente, e o vento não mais despendia seus gélidos dardos. Não havia nenhuma montanha coberta de neve, apenas as águas quentes de um mar sitiante. Isso era San Antonio. A viagem terminara e ela continuava viva. Selina tirou a bandana e deixou os cabelos voejarem ao sabor do vento.

Havia uma fila para a imigração. Membros da *Guardia Civil* demoravam-se de atalaia, como se a região estivesse prestes a ser invadida por um bando de criminosos. Portavam armas, e não para enfeite. O funcionário do departamento de imigração trabalhava lentamente, enquanto conversava com um colega. Era uma conversa longa e envolvente, uma espécie de discussão, e ele apenas a interrompia para inspecionar cuidadosamente, página por página, qualquer passaporte suspeito. Selina foi a sexta da fila, e ficara esperando 15 minutos antes que ele eventualmente carimbasse "ENTRADA", e o devolvesse a ela.

— Minha bagagem...? — disse, hesitante.

Ele não entendeu, ou não quis entender, e acenou para que ela seguisse em frente. Ela colocou, então, o passaporte de volta na bolsa, e foi procurar a bagagem por conta própria. Embora pequeno, o aeroporto de San Antonio parecia incomumente cheio para aquela hora do dia, mas às 9h30 o avião vindo de Barcelona retornou para a Espanha, e era um vôo econômico. Pais de família discutiam com os carregadores e formavam filas para comprar passagem e obter autorização de embarque. Namorados trocavam os últimos olhares, de mãos dadas, aguardando o momento da despedida, e obstruíam o caminho dos passantes. O barulho, no edifício de teto elevado, era ensurdecedor.

— Com licença — repetia Selina muitas vezes, tentando prosseguir, desviando-se da multidão. — Desculpe... com licença... — Alguns de seus companheiros de viagem já se haviam reunido sob uma placa que indicava "ALFÂNDEGA", e ela esforçou-se para se juntar a eles. — Sinto muito — tropeçou num grande cesto e quase atropelou um gordo bebê envolto numa manta de tricô amarela. — Com licença, por favor.

As bagagens começavam a chegar e eram colocadas pelos funcionários do aeroporto num balcão improvisado, sendo alvo de manifestações de reivindicação, ao mesmo tempo que eram examinadas, abertas e finalmente liberadas pelo fiscal da alfândega.

A mala de Selina não apareceu. Ela era azul com uma listra branca e fácil de identificar. Depois de uma interminável espera, percebeu que não restava mais nenhuma, e que os demais passageiros haviam-se, um a um, esvaído, e que ela estava só.

O funcionário da alfândega, que havia conseguido, até então, ignorá-la, colocou as mãos na cintura e franziu-lhe as sobrancelhas.

— Minha mala... — disse Selina. — Ela...

— *No ablo inglese.*

— Minha mala... Você fala inglês?

Um segundo funcionário se apresentou. — Ele respondeu que não.

— *Você* fala?

Ele deu de ombros deliberadamente, sugerindo a inconstância de sua solicitude. Talvez, em casos de urgente desespero, conseguisse articular uma ou duas palavras...

— Minha mala. Mila bagagem. — Irrompeu desesperadamente em francês:

— *Mon bagage.*

— Não aqui?

— Não — respondeu Selina.

— Onde você vem? — enrolou a língua, carregando a pronúncia com todo o floreio lingüístico de que se pôde valer.

— Barcelona. E Londres.

— Oh! — exclamou, dando a impressão de que ela houvesse transmitido um fato noticioso de grande importância. Voltou-se para o seu colega, e começaram a conversar, num espanhol de líquida fluência que mais lhe pareceu uma conversa íntima. Selina se perguntou desesperadamente se eles não estavam trocando notícias sobre a família. Após alguns instantes, o que falava inglês deu de ombros novamente, e tornou a falar com Selina. — Vou verificar o que aconteceu — disse

Ele desapareceu. Selina aguardou. O que lá permanecera começou a palitar os dentes. Ouvia-se o choro intenso de uma criança. O sistema de alto-falantes, para piorar-lhe o clima de desespero, despejava no salão um tipo de música normalmente associado às touradas. Depois de dez minutos ou mais, o "prestimoso" funcionário retornou, acompanhado de um dos comissários de bordo do vôo que trouxera Selina para San Antonio.

— Sua mala se extraviou — informou o comissário, sorrindo como quem acabara de lhe prestar um generoso favor.

— *Extraviou-se!* — indignou-se Selina, em lamentosa exclamação.

— Acreditamos que sua mala tenha ido parar em Madri.

— Madri! Como ela foi parar lá?

— Achamos que, infelizmente, foi colocada no caminhão errado em Barcelona... Existe um vôo que parte também de Barcelona com destino a Madri. Achamos que sua bagagem pode ter-se extraviado lá.

— Mas ela foi rotulada com a indicação de San Antonio como destino. Isso foi feito em Londres.

Ao ouvir a palavra Londres, o funcionário da alfândega pareceu trepidar novamente, evidenciando o receio que o infortúnio daquele tipo de passageiro lhe causava. Diante disso, Selina atinou com a possibilidade de pressioná-lo.

— Sinto muito — disse ele. — Vou enviar uma mensagem a Madri para que remetam a mala para San Antonio.

— Quanto tempo isso levará?

— Eu não afirmei que ela foi parar lá. Precisamos confirmar — defendeu-se o comissário, determinado a não se comprometer.

— Bem, e quanto tempo você precisará para confirmar isso?

— Não sei. Talvez três, quatro horas.

Três ou quatro horas! Selina não sabia se dava vazão à irritação de que se via possuída ou se chorava. — Não posso ficar esperando aqui por três ou quatro horas.

— Então por que a senhorita não volta outra hora? Amanhã, por exemplo, para saber se a mala chegou. De Madri.

— Mas eu não poderia telefonar-lhe? Saber se chegou por meio de um telefonema?

A idéia lhes pareceu uma piada. — Senhorita, há poucos telefones na ilha — informaram, sorridentes.

— Então, precisarei voltar aqui amanhã, para saber se vocês encontraram a minha mala?

— Ou depois de amanhã — disse o comissário, com ares de quem se achava possuidor de muitas idéias brilhantes.

— Mas tudo que tenho está em minha mala — ponderou, num derradeiro apelo.

— Sinto muito.

Deteve-se ainda à sua frente, sorrindo para ela. Selina teve a impressão de que estava se afogando. Vagueou o olhar de um rosto para o outro, e começou a perceber aos poucos que ninguém iria ajudá-la. Ninguém poderia ajudá-la. Estava só e tinha de se arranjar. — É fácil de se conseguir um táxi? — perguntou-lhes num tom de voz ligeiramente titubeante.

— Naturalmente que sim. Há muitos lá fora.

Havia, na verdade, apenas quatro. Começando a se sentir desconfortável com o calor gerado pelo casaco de viagem, livrou-se dele, enquanto buscava conseguir um táxi. Assim que evidenciou a intenção de pegar um, os motoristas começaram a buzinar-lhe, a acenar, a chamar "*señorita*", abandonando de um salto os seus carros, no afã de conquistar-lhe a preferência, cada um tentando encaminhá-la para o seu próprio veículo.

— Algum de vocês fala inglês? — perguntou, em voz alta.

— *Sí, sí, sí.*

— Preciso ir para Cala Fuerte.

— Cala Fuerte, *sí.*

— Vocês conhecem Cala Fuerte?

— *Sí, sí* — responderam todos.

— Oh, nenhum de vocês fala inglês...?

— Sim, eu falo — afirmou um deles.

Foi o motorista do quarto táxi. Enquanto seus colegas tentavam convencer Selina, ele permanecia no mesmo lugar, sem se manifestar, aguardando e calmamente saboreando seu charuto. Em certo instante, livrou-se da guimba olorosa, pisoteou-a e moveu-se. Sua aparência não inspirava muita confiança. Ele era um homem enorme, bastante alto e gordo. Vestia uma camisa azul, decotada, exibindo um peito com pêlo escuro e denso. Suas calças sustentavam-se por um cinto de couro intricadamente confeccionado, e na parte de trás da cabeça dependurava-se-lhe um chapéu de palha destoando em completo mau gosto do restante das roupas, do tipo que os turistas levam para casa ao voltar das férias. Usava, já na aurora daquela manhã nebulosa, óculos escuros, alardeando um bigode fino e negro, sugerindo inconscientemente as qualidades de um dom Juan vulgar. Seu aspecto era tão desagradável, tão repulsivo, que Selina chegou a manifestar ligeiro sobressalto.

— Eu falo inglês — disse, com forte sotaque americano. — Trabalho na Espanha, numa base naval americana.

— Oh, bem... — Certamente, qualquer um dos outros três motoristas era preferível a esse rufião, falando ou não inglês!

— Para onde deseja ir? — perguntou, ignorando sua hesitação.

— Para... Cala Fuerte. Mas estou certa...

— Eu a levarei. São seiscentas pesetas.

— Ah, bem... — disse, passeando o olhar pelos outros motoristas, esperançosa de se ver disputada ainda por algum deles, mas nenhum dos quais parecia mais encorajado a servir-lhe. Um deles já havia, inclusive, retornado para o carro e limpava o pára-brisa com uma flanela velha.

Selina voltou-se para o corpulento homem do chapéu de palha. Ele sorriu, num sorriso de dentes quebrados e pejado de malícia. Selina engoliu seco e disse:

— Está bem. Seiscentas pesetas.

— Onde está a sua bagagem?

— Extraviou-se. Extraviou-se em Barcelona.

— Que azar.

— É verdade. Foi colocada no avião errado. Eles vão tentar localizá-la. Espero reavê-la amanhã ou depois de amanhã. Agora, preciso ir para Cala Fuerte, você compreende, e...

Algo no semblante daquele homenzarrão a deteve. Ele estava olhando fixamente para a bolsa de Selina. Ela seguiu-lhe o olha e percebeu que, sem dúvida, algo estranho havia acontecido. Embora as duas fortes alças da bolsa ainda lhe pendessem do braço, a bolsa estava aberta, como uma boca escancarada na cadeira de um dentista. O fecho havia sido habilmente cortado, como com uma gilete. E sua carteira havia desaparecido.

O motorista se chamava Toni. Ele se apresentara formalmente, e depois servira-lhe de intérprete durante a longa e enfadonha entrevista com o membro da *Guardia Civil.*

Sim, a señorita fora roubada. No aeroporto, de manhã, quando se misturava com a multidão. Havia sido um ladrão portando uma gilete. Ele lhe roubara tudo. Tudo que ela possuía.

Seu passaporte?

Seu passaporte não. Mas seu dinheiro, suas pesetas, seu dinheiro britânico, seus cheques de viagem, sua passagem de volta para Londres.

O guarda examinou a bolsa de Selina cuidadosamente.

E a señorita não havia sentido nada?

Nada. Como poderia sentir algo espremendo-se por entre a multidão?

A bolsa aparentava realmente ter sido cortada com uma gilete.

Isso mesmo. Uma gilete. Um ladrão com uma gilete.

Como a senhorita se chamava?

Chamava-se Selina Bruce, de Londres, e portava um passaporte britânico.

E onde era o domicílio da senhorita Bruce em San Antonio?

Era... Foi onde Selina hesitou, mas os acontecimentos haviam superado os limites da hesitação. *Casa Barco, Cala Fuerte.*

Qual era a cor da carteira? Quanto dinheiro continha exatamente? Os cheques de viagem estavam assinados?

Selina respondia às perguntas enfastiadamente. O relógio marcou 10h, 10h30 e mais ainda. O maior de seus temores havia se materializado. Tinha perdido a mala e lhe haviam roubado o dinheiro. E ainda precisava ir para Cala Fuerte.

Finalmente o interrogatório terminou. O membro da *Guardia Civil* arrumou os seus papéis e se levantou. Selina agradeceu-lhe e apertou-lhe as mãos. Ele pareceu surpreso, mas mesmo assim não sorriu.

Juntos, Selina e Toni cruzaram o salão do aeroporto. Selina apoiava o casaco num dos braços, pois a temperatura havia esquentado, e o observava, esperando que ele tomasse a iniciativa.

Ele tirou os óculos escuros.

— Ainda preciso ir para Cala Fuerte.

— Você não tem mais dinheiro.

— Mas você será pago, eu prometo. Quando chegarmos a Cala Fuerte... meu... pai pagará a corrida.

— Seu pai? Ele mora aqui na ilha? Por que não disse antes?

— Não teria feito diferença alguma. Nós... não poderíamos entrar em contato com ele. Poderíamos?

— Seu pai *mora* em Cala Fuerte?

— Sim, numa casa chamada Casa Barco. Tenho certeza de que ele estará lá e lhe pagará. — Toni a fitou, desconfiado e descrente. — Você não pode simplesmente me deixar aqui. Já não tenho nem mesmo a minha passagem de volta para Londres.

O motorista fitou a imensidão dos céus por alguns segundos, e em seguida decidiu fumar um cigarro. Não parecia disposto a ceder, e recusava se comprometer.

— Você disse que me levaria — insistia Selina. — Eu providenciarei para que você receba. Prometo.

Já havia acendido o cigarro, e soltou uma baforada no ar, pousando os olhos negros sobre o rosto de Selina. Ela lhe pareceu ansiosa e abatida, mas, sem dúvida, era uma pessoa de recursos. A bolsa violada era de couro de jacaré, assim como os excelentes sapatos. O lenço era de seda, e tanto o vestido quanto o casaco, de primoroso algodão. Às vezes, quando ela se movia, Toni relanceava o olhar na fina corrente de ouro em torno de seu pescoço, e no relógio feito do mesmo material, preso no pulso. Havia nela, indubitavelmente, uma aura de muita pecúnia — se não fosse na bolsa, haveria de ser em outro lugar. Era março ainda e não havia tantos passageiros disponíveis que lhe permitissem o luxo de dispensar um passageiro promissor. E aquela moça, aquela jovem *inglesa*, não parecia capaz de enganar ninguém.

— Está bem — concordou finalmente. — Vamos.

4

Transformado numa criatura benevolente por sua própria generosidade, Toni conversava expansivamente.

— San Antonio, até uns cinco anos atrás, era uma ilha muito pobre. A ligação com a Espanha era muito precária, havendo então apenas um pequeno barco que trafegava duas vezes por semana entre a ilha e o continente. Mas agora nós temos o aeroporto, o que tem atraído mais visitantes. No verão, há muitos deles por aqui, e as coisas estão melhorando.

Selina achou que as primeiras coisas que precisavam melhorar eram as estradas. A que eles percorriam não era pavimentada e estava sulcada e esburacada; o velho Oldsmobile — o táxi de Toni — solavancava e balançava como um navio em alto-mar. Serpeava o calhambeque por entre barrancos pedregosos e sem vegetação, cortando o campo dividido em pequenas propriedades rurais. O solo parecia pobre e improdutivo, e ao longe viam-se as edificações vergadas sob o látego da inclemência do sol do verão, que as descorara em torturadas cores tirantes a palidez da areia. Mulheres trabalhavam no campo, vestindo saias negras que se estendiam até os tornozelos, envolvendo o pescoço e a cabeça num manto de idêntica negritude. Os homens cobriam a nudez do corpo num azul descolorido, lavrando a terra irresponsiva, ou transitando, às sacudidelas, em carroças de madeira, jungidas num par de mulas. Os olhos de Selina não se furtaram aos quadros das galinhas magricelas, e a cada um ou dois quilômetros avistava um paciente cavalo com antolhos, suplicando os favores de um poço, e a roda de um moinho vertendo as noras cheias nos canais de irrigação.

— Choveu bastante ontem à noite — disse Selina, diante da secura daquelas cenas.

— Foi a primeira chuva após meses de estiagem. Sempre temos falta d'água. A ilha não tem rios, apenas fontes. O sol já está bastante quente, e o solo se resseca rapidamente.

— Voamos no meio de uma tempestade ontem à noite, sobre os Pireneus.

— Esse tempo ruim têm-se demorado no Mediterrâneo por vários dias.

— É sempre assim em março?

— Não, março costuma ser um mês quente. — E como que para materializar-lhe as palavras, o sol, naquele exato momento, decidiu manifestar-se, arremessando os raios por entre uma nesga de céu desanuviado, e pintando a natureza e as edificações com finos feixes de luz dourada. — Veja, é lá — anunciou, prosseguindo: — Aquela é a cidade de San Antonio. A catedral no topo do outeiro é muito antiga. É uma construção fortificada.

— Fortificada?

— Contra ataques. Dos fenícios, dos mouros, dos piratas. Os mouros ocuparam San Antonio por vários séculos.

A cidade jazia adormecida na distância de singelo cenário, em contraste com o movimentado e grandioso espetáculo no palco do oceano. Casas muitos brancas acomodavam-se na encosta das colinas, sobranceadas pela altivez das torres e agulhas da catedral.

— Não vamos passar por San Antonio?

— Não. Estamos na estrada para Cala Fuerte.

Depois de algum tempo, ele perguntou:

— Você nunca esteve na ilha? E ainda assim seu pai mora aqui?

— Não. Nunca estive — revelou, fitando as preguiçosas velas de um moinho.

— Você vai gostar de Cala Fuerte. É pequena, mas muito bonita. Suas águas são visitadas por muitos iates.

— Meu pai tem um iate — disse, sem pensar, surpreendendo-se com as próprias palavras, como se, ao dizer algo, ao proferi-lo em voz alta, o tornasse real, verdadeiro. *Meu pai mora em Cala Fuerte. Numa casa chamada Casa Barco. Ele tem um iate.*

As nuvens continuavam a se dispersar e dividir. O sol havia conseguido superá-las, e elas começaram a se dirigir para o mar, recolhendo-se, soturnamente, na linha do horizonte, onde permaneceram. A ilha banhava-se em hálitos de calor intenso. Selina arregaçou as mangas de seu delicado vestido de jérsei e abriu a janela do carro, deixando a aragem poeirenta e perfumada tocar seus cabelos. Passaram por pequenos vilarejos e cidades auríferas, silenciosas e com as janelas das casas guarnecidas de taipais. As portas permaneciam despreocupadamente abertas, mas resguardadas por cortinas de cadeia, e, nas calçadas, velhas senhoras sentavam-se, aprumadas, em cadeiras de cozinha, conversando ou vigiando seus pequeninos netos, enquanto suas mãos decrépitas ocupavam-se ativamente com o bordado e a renda.

Chegaram a Curamayor, uma bucólica cidade com as casas pintadas de creme e ruas estreitas. Toni esfregou o dorso da mão na boca e anunciou que estava com sede.

Selina, sem saber ao certo o que Toni esperava que ela dissesse, manteve-se em silêncio.

— Uma cerveja agora seria muito bom — completou Toni.

— Eu... eu poderia pagar-lhe uma cerveja, mas não tenho nenhum centavo.

— Eu tenho — tornou ele. A rua estreita conduzia a uma praça pavimentada com seixos, enfeitada com uma igreja de grande altura, árvores frondosas e algumas lojas. O motorista circulou com o veículo lentamente até avistar um café-restaurante, que lhe pareceu o estabelecimento apropriado. — Esse serve.

— Eu... eu aguardo aqui.

— Você deveria beber algo também. Andar de carro cansa e dá sede. Eu lhe pago uma bebida. — Ela não simpatizou com a idéia, mas ele ainda assim acrescentou:

— Seu pai me pagará.

Selina sentou-se ao sol, numa mesa de ferro. Atrás dela, dentro do restaurante, Toni conversava com o proprietário. Um pequeno grupo de crianças, que acabara de sair da escola, caminhava na direção dela. Eram crianças encantadoras, usando aventais de algodão azul e meias brancas imaculadas. Todas pareciam bonitas — as pequerruchas impecavelmente arrumadas, com os cabelos negros entrançados e argolas de ouro nas orelhas, seus membros douradamente oliváceos e bem formados, e quando sorriam, seus dentes revelavam asseio e brancura.

Notaram que Selina as observava, e irromperam em risadinhas inocentes. Duas delas, mais extrovertidas do que as outras, pararam à frente dela, seus olhos escuros como passas bailando de alegria na ceia de um rosto feliz. Selina ansiava enormemente por cativar-lhes a amizade, e, impulsivamente, abriu a bolsa e pegou uma lapiseira, à qual Selina não se afeiçoara, e a qual era enfeitada com uma borla azul e amarela. Segurou-a de braço estendido, convidando uma delas a pegá-la. No começo, mostraram-se muito tímidas, mas, após alguns instantes, a que tinha cabelos entrançados, hesitando, como se corresse o risco de ser mordida pelo objeto, a removeu da mão de Selina. A outra, com um gesto inteiramente desconcertante, colocou sua mão na de Selina, como se a estivesse presenteando. A dela era rechonchuda e delicada e trazia num dos dedos um anel de ouro.

Toni retornou, atravessando a cortina de cadeia com a cerveja e uma laranjada para Selina, e as crianças se assustaram, dispersando-se como pombos, correndo e levando a lapiseira com elas. Encantada, ela as observou partir, e Toni disse: — Crianças… — com tanto orgulho e afeto na voz que as crianças pareciam ser seus próprios filhos.

A viagem continuou. As características geográficas da ilha, pelo trecho em que então prosseguiam, haviam mudado completamente, e a estrada estendia-se agora ao sopé de uma cadeia de montanhas, enquanto os campos expandiam-se em suave convexidade em direção ao mar, integrando-se, caprichosos, aos quadros de um distante e brumoso horizonte. Eles já estavam na estrada há quase três horas quando Selina avistou a silhueta de um cruzeiro, encravado no alto de uma colina à frente deles, contrastando com o manto azul do céu imenso.

— O que significa aquela cruz?

— Aquele é o cruzeiro de San Estaban.

— Mas tão solitário? No topo de uma montanha?

— Não, lá existe um mosteiro bem grande. Uma comunidade religiosa fechada.

A vila de San Estaban jazia ao pé da montanha, sob a sombra do mosteiro. No cruzamento ao centro da cidade, uma placa indicava, finalmente, o caminho para Cala Fuerte, a primeira que Selina havia visto. Toni conduziu o carro para a direita, e a estrada exibiu um declive diante deles, estendendo-se montanha abaixo, através de campos de cactos e extensos olivais, insinuando-se no perfume de bosques de eucaliptos. Mais à frente, o litoral parecia povoado unicamente por densos pinheirais, mas, quando dele se aproximaram, Selina vislumbrou a presença de casinhas brancas esparsamente localizadas, e a rósea, a azul, a escarlate viçosidade de jardins repletos de flores veludosas.

— Aqui é Cala Fuerte?

— *Sí.*

— Não parece nada com as outras vilas.

— Não, Cala Fuerte é uma estância de veraneio. Para turistas. Muitas pessoas têm vilas aqui, para passar o verão, sabia? Elas invadem a cidade durante surtos de calor, procedentes de Barcelona e Madri.

— Entendo.

Os pinheirais os envolveram num amplexo de sombras refrescantes, de resinas perfumosas. Passaram por uma granja, avivada pelo cacarejo de galinhas, e deixaram para trás umas poucas casas, uma casa de vinhos, e finalmente a estrada terminou numa pequena praça, edificada em torno de um grande e solitário pinheiro. Num dos lados da praça, havia uma loja com legumes e verduras expostos na porta, e sua janela toldava-se pela dependura de sapatos de sola de corda e filmes fotográficos, chapéus de palha e cartões postais. Do outro lado, desfilavam nas passarelas da história as curvas e sombreados de uma edificação mourisca, fronteada por um terraço mobiliado com mesas e cadeiras, e branqueada por ofuscante caiação. Sobre a porta, pendia uma plaqueta indicando: "Cala Fuerte Hotel".

Toni parou o táxi sob a sombra do pinheiro e desligou o motor. A poeira se assentou no leito do solo e o silêncio imperou.

— Bem, cá estamos — disse ele. — Esta é Cala Fuerte.

Saíram do carro, e o frescor da brisa marinha encheu-lhes os pulmões de boas-vindas. Havia poucos transeuntes. Uma mulher saiu da loja de verduras para colher à porta batatas de um cesto e colocá-las numa sacola de papel. Algumas crianças brincavam com um cãozinho. Um grupo de turistas, vestindo casacos de lã caseiros, com óbvios ares de cidadãos ingleses, acomodava-se nas cadeiras do terraço do hotel, preenchendo cartões postais. Levantaram suas cabeças e avistaram Selina, reconhecendo-a como uma compatriota, e desviaram rapidamente o olhar.

Entraram no hotel, Toni tomando a frente. Além da cortina de cadeia, se defrontaram com um bar, muito bem conservado, limpo e ventilado, e caiado, com tapetes no assoalho de pedra e uma escada de madeira rústica conduzindo até o pavimento superior. Debaixo da escada, uma porta que dava acesso aos fundos do hotel. Uma moça de pele morena, empunhando uma vassoura, deslocava calmamente a poeira de um lado do assoalho para o outro.

Alçou o olhar e sorriu: — *Buenos días.*

— *Dónde está el proprietario?*

— *Momento* — disse, pondo a vassoura de lado, e desaparecendo com o andar macio através da porta debaixo da escada. Toni dirigiu-se para o bar, empoleirando-se num dos altos banquinhos que guarneciam o balcão. Depois de algum tempo, a porta se abriu novamente, fazendo surgir um outro homem no ambiente do bar. Era de pequena compleição, muito jovem, usava barba e parecia enxergar o mundo pelo olhos de uma amistosa rã. Vestia uma camisa branca, calças pretas seguras por um cinto, e um par de sandálias com sola de corda.

— *Buenos días* — disse, vagueando o olhar de Toni para Selina, e desta para o motorista novamente.

— Você fala inglês? — perguntou Selina, subitamente.

— *Sí, señorita.*

— Sinto muito em incomodá-lo, mas estou procurando uma pessoa. Seu nome é George Dyer.

— Sim?

— Você o conhece?

Ele sorriu e gesticulou com as mãos, numa atitude de provável expansividade e cooperação, respondendo:

— Claro. Você está procurando o George? Ele sabe que você o está procurando?

— Não. Ele deveria saber?

— Não, a menos que você lhe tenha dito que estava vindo.

— É uma surpresa — alegou Selina, tentando criar um clima de extroversão.

— De onde você é? — perguntou, parecendo intrigado.

— De Londres. Desembarquei hoje no aeroporto de San Antonio. — Fez um gesto indicando Toni, que escutava tudo carrancudamente, como se não estivesse gostando de ver o controle da situação lhe sendo tirado das mãos. — O motorista me trouxe.

— Não vejo George desde ontem. Ele estava a caminho de San Antonio.

— Puxa, mas acabamos de chegar de lá.

— Talvez ele esteja em casa agora. Não tenho certeza. Não o vi retornar. Nunca sabemos ao certo se o seu carro conseguirá completar a longa viagem — arrematou, sorrindo.

Toni pigarreou e inclinou-se para a frente, perguntando:

— Onde podemos encontrá-lo?

— Se ele estiver em Cala Fuerte, será provavelmente encontrado na Casa Barco — respondeu, dando de ombros.

— Como podemos encontrar a Casa Barco? — O homem franziu o semblante, e Toni, notando-lhe a ligeira impaciência, explicou:

— Precisamos encontrar o *señor* Dyer, pois, de outro modo, não receberei o pagamento da corrida. A *señorita* não tem dinheiro...

— Sim... sim, sinto muito, mas é verdade — confirmou Selina, engolindo em seco. — O senhor nos poderia explicar como chegar à Casa Barco?

— É muito complicado. Dificilmente vocês chegariam lá sozinhos. Mas — acrescentou — posso conseguir alguém para levá-los até lá.

— É muito gentil da sua parte. Muito obrigado, senhor... Sinto não saber o seu nome.

— Rudolfo. Mas nada de senhor. Apenas Rudolfo. Aguardem aqui, por gentileza. Vou ver o que posso fazer.

Ele saiu à rua, passando pela porta cortinada, atravessou a praça e entrou na loja defronte ao hotel. Toni deixou-se acomodar pesadamente num dos banquinhos do bar, sua corpulência vergando ao peso de mil tonéis em cada lado do precário assento, seu bom humor claramente esmorecendo. Selina começava a ficar nervosa. — Sei que é incômodo retê-lo por mais tempo, uma vez que você já foi tão gentil... — disse, tentando apaziguá-lo.

— Não sabemos se o *señor* Dyer estará na Casa Barco ou não. Não o viram retornar de San Antonio ainda.

— Bem, se não estiver, poderemos esperar um pouco...

Não era a melhor coisa a dizer. — Não posso esperar. Sou trabalhador. Tempo é dinheiro para mim.

— Sim, naturalmente. Eu entendo.

Resmungou algo, como que para indicar que ela não poderia realmente entender, e deu-lhe parcialmente as costas, como se fosse um menino mimado e houvesse ficado amuado com alguma contrariedade. Foi um alívio quando Rudolfo retornou. Ele havia providenciado para que o filho da mulher que gerenciava a mercearia os levasse à Casa Barco. O rapaz tinha uma grande entrega para fazer ao *señor* Dyer, a qual estava prestes a efetuar com sua bicicleta. Se quisessem, poderiam segui-lo com o táxi.

— Sim, claro, é uma ótima idéia. — Selina voltou-se para Toni, e disse, com uma confiança que não sentia:

— Meu pai lhe pagará a corrida, e então você poderá voltar rapidamente para San Antonio.

Toni não parecia muito convencido disso, mas guindou-se do banquinho do bar, e seguiu com ela para a praça. Próximo ao táxi, demorava-se um rapaz magricela com sua bicicleta. O guidom sustinha duas enormes cestas, do tipo usado por quase todos os camponeses espanhóis. Pacotes mal embrulhados de todos os formatos e tamanhos ressaltavam dessas cestas. Longas bisnagas de pão, réstias de cebola, gargalos de garrafas espremiam-se na acirrada disputa do mesmo exíguo espaço.

— Este é Tomeu, o filho de Maria. Ele lhes mostrará o caminho.

Como um pequeno peixe piloto, Tomeu serpeava à frente do carro na bicicleta oscilante, avançando pela sulcada estrada que se estendia sinuosa pelas ondulações do litoral. As mãos da natureza insculpiram na ilha enseadas banhadas por águas de cor azul-pavão, e acima dos rochedos entreviam-se a alvura de adoráveis vilas, abrincadas por jardins transbordantes de flores, terraços acariciados pelo sol, trampolins aguardando a intrepidez de um salto.

— Não me importaria de morar aqui — disse Selina, mas o humor de Toni transformava-se rapidamente, e ele se recusava a responder. A estrada não era mais uma estrada, mas uma vereda que serpejava por entre os muros cobertos de mesembriântemos dos jardins das casas. Elevou-se num suave aclive. Em seguida amolgou-se numa última e bem maior enseada, onde um pequeno porto abrigava uns poucos barcos de pesca, e onde grandes iates ancoravam em águas profundas, detidos pelo vigor da amarragem.

Em certo trecho, estendia-se a estrada por trás das casas. Tomeu, adiantado, os aguardava. Quando viu o táxi assomar no topo da colina, desceu da bicicleta, reclinou-a de encontro ao muro próximo, e começou a descarregar as cestas.

— A casa deve ser aquela — disse Selina.

Não parecia uma casa grande. O muro dos fundos era caiado e simples, exceto pela minúscula abertura de uma janela e uma porta com batentes, sombreadas por um grosso pinheiro americano. A estrada ramificava-se por trás das casas, estendendo-se para a esquerda e para a direita, roçando ainda os fundos de outras moradias. Aqui e ali, estreitas escadarias espremiam-se por entre as edificações em direção ao mar. Uma aura de saudável desregramento parecia reinar em toda a localidade, com a roupa lavada esvoaçando nos varais, as redes estendidas para secar ao ar livre, e os gatos magricelas sentados ao sol lavando a pelagem, materializando a evidência de tal impressão.

O táxi sacolejou e arrastou-se pelos últimos metros da viagem, enquanto Toni reclamava por não haver lugar para manobrar, dizendo não ser o seu carro um veículo projetado para rodar em estradas ruins como aquelas, e brandia ameaças de exigir o ressarcimento de qualquer prejuízo causado à lataria.

Selina mal dava ouvidos ao que ele dizia. Tomeu havia aberto a porta verde com batentes e desaparecido casa adentro, carregando suas pesadas cestas. Toni parou o táxi bruscamente e Selina saltou.

— Vou manobrar e depois venho para receber o dinheiro — disse Toni.

— Sim — disse Selina, abstraída, observando a porta aberta. — Sim, faça isso.

Ele acelerou tão intensamente que ela teve de recuar em direção ao meio-fio para evitar que as rodas do carro lhe passassem sobre os pés, mas assim que ele se foi, ela atravessou a vereda, avançou por sob a sombra do pinheiro, e entrou cautelosamente pela porta aberta da Casa Barco.

Havia pensado, numa primeira impressão, que a casa era pequena, mas, em vez disso, viu-se no interior de um cômodo amplo e com o teto bastante elevado. Os batentes estavam todos fechados, e a casa estava escura e fria. Na casa, não havia exatamente uma cozinha, mas na sala de estar um pequeno balcão encerrava o que parecia imitar uma cozinha de bordo, com um diminuto bar, e atrás dele ela encontrou Tomeu, ajoelhado, colocando os mantimentos na geladeira.

Ele ergueu o olhar e sorriu quando ela se inclinou sobre o balcão. Selina perguntou: — *Señor* Dyer?

O rapaz meneou a cabeça. — *No aquí.*

No aquí. Não está aqui. Sentiu-se desanimar. Ele não havia voltado de San Antonio, e ela via-se obrigada a despistar Toni com uma desculpa qualquer, e a insinuar-lhe sugestões de paciência, quando nenhum dos dois tinha a mínima idéia de quanto tempo teriam de esperar.

Tomeu disse algo. Selina fitou-o, sem compreender. Para fazê-la entender o que ele queria dizer, saiu da pequena cozinha e dirigiu-se para o outro lado da sala e destrancou os batentes, abrindo-os totalmente. Um jorro de luz e raios de sol invadiram a casa, pintando a mobília de múltiplas cores. A parede do lado sul, que dava vista para o porto, era quase totalmente ocupada por uma grande janela, mas era guarnecida também por uma porta de folhas duplas com persianas, a qual se abria para um terraço encimado por um toldo de junco fendido. O terraço era cercado por um muro baixo, enfeitado com velhas urnas e vasos de barro contendo gerânios, e além dele o mar vestia-se de formoso azul brilhante.

A casa era dividida de forma original. Não havia paredes interiores, mas o teto da cozinha formava uma pequena sacada, com um gradil de madeira, à qual se tinha acesso por uma escada balaustrada, semelhante a uma escada de navio. Debaixo dela, emoldurava-se uma porta que conduzia a um minúsculo banheiro. Uma abertura bem no alto de uma de suas paredes propiciava-lhe ventilação e claridade, e certamente não lhe faltava uma pia e uma latrina, além do chuveiro de aspecto primitivo com que seu dono se lavava, uma prateleira com vários frascos, um tubo de pasta de dente e outros produtos, um espelho e, no assoalho, uma bacia.

O restante da casa constituía-se de mezanino de singular encanto, tendo as paredes caiadas e o assoalho coberto por muitos tapetes coloridos. Num dos cantos da sala, havia uma lareira de forma triangular, repleta de cinzas de madeira perfumosa, que aparentavam precisar apenas de um sopro mínimo para fazê-las esbrasearem-se novamente. A base do vão da lareira jazia provavelmente a meio metro do assoalho, na altura exata para proporcionar um confortável aconchego, e prolongava-se ainda ao longo de ambos os lados da parede, servindo como uma espécie de prateleira, cheia de almofadas e mantas, rimas de livros, um quebra-luz, um pedaço de corda em processo de entrançadura, uma pilha de jornais e de revistas e uma caixa de garrafas vazias.

Em frente da lareira, com a parte de trás voltada para o terraço e o mar, havia um grande sofá, com o assento descaído pelo uso, e espaço para acomodar confortavelmente seis pessoas. Estava coberto por um lençol azul desbotado e colgado com um cobertor de listras brancas e vermelhas. No outro lado da sala, recebendo a incidência da luz sob ângulos retos, situava-se uma secretária comum, com um vão para acomodar os joelhos, abarrotada de mais jornais, uma máquina de escrever, uma caixa aberta contendo o que pareciam ser cartas fechadas, e um par de binóculos. Havia uma folha de papel ofício na máquina de escrever e Selina não se conteve em dar uma espiadela.

— "O Romance de George Dyer" — leu. — "A preguiçosa raposa saltou sobre um cão ou coisa parecida."

E em seguida uma série de asteriscos e um ponto de exclamação.

Deixou decair o canto da boca, decepcionada com o fato de o pai ter alinhado apenas algumas frases sobre o livro a que o editor em Londres se referira. "Tão pouco para tanta euforia da parte do sr. Rutland!", pensou.

Entre a cozinha e a porta, havia um poço, com um gancho para prender o balde e uma ampla prateleira, a qual abrigava uma garrafa de vinho com metade do seu conteúdo consumido, e uma cactácea. Selina deteve o olhar na garrafa, observando o difuso brilho do líquido espirituoso, cheirou-lhe a fina e agradável essência, e perguntou-se se ainda estava próprio para o consumo; mas vovó sempre dizia que não se devia beber água fora de casa, a menos que se tivesse certeza de que houvesse sido fervida, e não seria aquela a ocasião em que ela se arriscaria a contrair um problema intestinal.

Afastou-se do poço e deteve-se no meio da sala, alçando o olhar em direção à sacada. A tentação de investigar mostrou-se-lhe irresistível, e logo viu-se subindo a escada que lhe dava acesso, encontrando a obliqüidade das águas do telhado, e uma imensa cama de casal entalhada (como conseguiram colocá-la lá em cima?), posicionada, com grande pompa, bem abaixo do alto vértice do beiral. Restava pouco espaço para mais móveis, mas um par de cofres de bordo havia sido embutido nas paredes menores, e uma grossa cortina fazia as vezes de porta de um guarda-roupa. Nele havia também uma caixa de laranjas virada de cabeça para baixo, adaptada para servir de mesinha de cabeceira, com suas prateleiras cheias de livros, e um quebra-luz, um rádio transistorizado, e um cronômetro de bordo.

Tomeu chamou "*señorita*" do terraço e Selina deixou

o quarto, desceu as escadas, e foi-lhe ao encontro. Ele estava sentado no muro, em companhia de um enorme gato persa branco. Virou-se e sorriu para Selina, recolhendo o gato nos braços e fazendo menção de dar-lhe o bichano.

— *Señor* Dyer — disse, indicando o gato, que miou pateticamente, e, depois de esforçar-se, convenceu o rapaz a soltá-lo, saltando-lhe dos braços em suave fuga, caminhando majestosamente até um canto para acomodar-se dignamente, enrolando o rabo em torno das patas da frente.

— Ele é enorme — disse Selina. Tomeu franziu a testa, como a indicar que não entendia. — Enorme — repetiu ela, dessa vez esboçando com os braços o bosquejo de um gato do tamanho de um tigre. — Enorme.

— *Sí, muy grande* — disse, sorrindo.

— É o gato do *señor* Dyer.

— *Sí. Señor Dyer.*

Foi juntar-se a ele, inclinando-se sobre o muro. Notou a empedernida teimosia de um jardim de forma triangular agarrando-se bravamente à face do rochedo abaixo, pontilhado de uma ou duas oliveiras nodosas, atinando que, assim como todas as casas construídas em terreno escarpado, a Casa Barco constituía-se de várias plataformas e que o terraço era, na verdade, a cobertura de um estaleiro, com rampas que se prolongavam mar adentro. Um lance de escada estendia-se do terraço ao pavimento inferior, e abaixo deles, dois homens sentavam-se de cócoras limpando peixe. Suas facas cortavam com precisão, e as lâminas cintilavam sob os raios de sol. Eles lavavam os peixes na água salgada, amarfanhando o verde-jade do sedoso mar. Tomeu curvou-se para uma pequena lasca de pedra e arremessou-a na direção dos homens, induzindo os dois a levantarem a cabeça para ver quem era, e viram Tomeu e sorriram.

— *Hombre,* Tomeu!

O rapaz respondeu-lhes o protesto amigo com algum tipo de de irreverência, pois eles riram, e voltaram, em seguida, a ocuparem-se do trabalho. Sob as mãos de Selina, o muro de pedra despendia branda quentura, e a caiação doara um pouco de si para emporcalhar-lhe a frente do vestido, como acontece quando se lida com o giz no quadro negro. Ela virou-se para sentar no muro, dando as costas para o mar, e notou o varal, com o cordel retesado em ganchos, sustentando uma fileira de roupas absolutamente secas e amarrotadas. Uma camisa social azul desbotada, um calção de banho, uma calça de brim branca com remendos nos joelhos, e um par de tênis velhos e esfarrapados presos a ele pelos cadarços. O terraço exibia também umas poucas peças de mobília, mas não as do tipo de *Casa & Jardim.* Uma cadeira de junco velha e esfrangalhada, uma mesa de madeira com a tinta descascando e a típica e traiçoeira espreguiçadeira que se fecha arteiramente quando você se senta. Ela gostaria de saber falar espanhol e conversar com o afável Tomeu. Gostaria de fazer-lhe perguntas sobre o sr. Dyer. Que tipo de homem ele era? Qual dos iates era o dele? Quando Tomeu achava que ele voltaria de San Antonio? Mas antes que ela tentasse estabelecer qualquer tipo de comunicação com ele, o barulho do táxi de Toni retornando soou-lhe aos ouvidos, como a anunciar-lhe o dia do juízo final. O veículo parou próximo à porta e em poucos segundos Toni entrou na casa, parecendo mais mal humorado e vilanaz do que nunca. Selina precisou convencer-se de que ele não iria comê-la. — O *señor* Dyer ainda não voltou — adiantou, com receosa firmeza.

Toni recebeu a informação com um frígido silêncio. Em seguida, pegou um palito de dentes e futucou resolutamente um molar incômodo. Limpou o palito no fundo das calças, colocou-o de volta no bolso e disse:

— Que diabos faremos agora?

— Eu vou aguardar aqui. Ele não vai demorar. Rudolfo disse que ele não demoraria. Ou você também aguarda aqui, ou você me deixa seu nome e endereço e volta para San Antonio. De qualquer forma, eu providenciarei para que você seja pago.

Inconscientemente, ela havia falado no tom de voz de sua avó, e, para surpresa sua, havia funcionado. Toni resignou-se com a situação. Chupou uma bala e em seguida anunciou sua decisão:

— Vou aguardar também. Mas não aqui. No hotel.

Havia conhaque no hotel e ele poderia fazer a *siesta* no carro, sob a sombra do pinheiro da praça. Já eram 2h30 e ele não gostava de estar acordado àquela hora. — Quando o *señor* Dyer chegar, você pode vir me procurar.

Aliviada, Selina pensou em abraçá-lo fortemente, mas apenas disse:

— Muito bem, posso assegurar-lhe que farei isso. — E em seguida acrescentou, já que ele parecia tão desanimado: — Sinto muito que isso tenha acontecido, mas tudo vai dar certo.

Ele deu de ombros enfaticamente, suspirando, e voltou para o carro.

Eles o ouviram dar a partida e guiar montanha acima novamente, em direção ao Hotel Cala Fuerte. Selina ainda teve tempo de pensar "Pobre Toni" antes que seu carro desparecesse no horizonte, após o que tornou à companhia de Tomeu.

— Vou ficar aqui — informou-lhe.

— *Usted aquí* — repetiu, entendendo.

— Sim. Aqui. — Ela apontou para o chão. Tomeu lançou-lhe um sorriso de compreensão e pôs-se a recolher suas cestas vazias.

— Adeus, Tomeu, e obrigada.

— *Adiós, señorita.*

Foi-se, e Selina ficou só. Dirigiu-se para o terraço e repetia para si mesma que estava esperando pelo seu pai, mas era quase inacreditável.

Perguntou-se se ele conseguiria descobrir, sem que lhe dissesse, que ela era sua filha. Procurou imaginar como lhe revelaria quem era se acaso ele não conseguisse.

Fazia muito calor. O sol lançava vigorosos raios sobre o terraço toldado, e ela não se lembrava da última vez que havia experimentado um clima tão quente. Suas meias de náilon e seus sapatos de couro de jacaré e seu vestido de algodão haviam-se tornado, todos ao mesmo tempo, insuportáveis. Já não lhe proporcionavam agasalhante conforto, mas a lunática inoportunidade de um verão marciano.

Mas vovó não admitia a desnudez das pernas, mesmo com um vestido de verão, e as luvas eram-lhe imprescindíveis. *Conhece-se uma dama pelas luvas que ela usa, ao contrário dessas sirigaitas desmazeladas, que andam por aí sem ao menos usar um chapéu.*

Contudo, vovó estava morta. Amada, pranteada, mas indubitavelmente morta. Sua voz emudecera-se, os dogmas pessoais nunca seriam proferidos novamente, e Selina era agora senhora do próprio destino, para fazer o que quisesse, alforriada das garras de Londres pelo atrativo do ente paterno, a anos-luz de distância de Queen's Gate. Retornou para o interior da casa, e tirou as meias e os sapatos, e em seguida, sentindo-se refrescada e livre, mobilizou-se em busca de comida. Havia manteiga na geladeira, e ela passou um pouco numa fatia de pão, pegando a seguir um tomate e uma garrafa de soda. Empreendeu tal piquenique no terraço, empoleirada no muro e contemplando os barcos ancorados. Momentos depois começou a sentir-se sonolenta, mas não queria que a encontrassem dormindo. Decidiu que precisava sentar em algum lugar duro e desconfortável para permanecer acordada.

Optou, afinal, por subir as escadas da sacada e acomodar-se, com um certo desconforto, no último degrau. Após alguns instantes, o gato abandonou os afagos do sol, entrou na casa e subiu as mesmas escadas, aninhando-se, com imoderados ronrons e excessivos pisoteios de felinas patas, no colo de Selina.

Os ponteiros do relógio arrastavam-se lentamente.

5

— Não consigo entender por que você precisa ir embora.

— Já lhe disse; tenho de alimentar Perla.

— Perla pode se arranjar sozinha. Há peixe nas redondezas da sua casa para alimentar milhares de gatos. Fique mais uma noite, querido.

— Não se trata apenas de Perla; há também o *Eclipse*...

— Mas ele sobreviveu até mesmo a uma tempestade...

— Não sei se posso concordar com isso, mas, de qualquer forma, o mau tempo pode voltar a qualquer momento nessa época do ano...

— Oh, bem — disse Francis, estendendo o braço para pegar outro cigarro. — Se você pensa assim, acho melhor você ir.

Sua mãe lhe havia dito, muitos anos atrás, quando ainda era menina, em Cincinnati, Ohio, que a melhor maneira de se manter um homem era dar-lhe a impressão, pelo menos, de ser uma mulher livre. Não que ela já houvesse alcançado o estágio de controlar George Dyer, pois nem mesmo o havia conquistado ainda, mas tinha grande experiência naquele fascinante jogo de caça e caçador, e estava preparada para esperar o tempo que fosse necessário.

Detinha-se sentada no pequeno terraço de sua casa,

bem no alto de uma colina da velha cidade de San Antonio. Um pouco acima, uns cem metros aproximadamente a separavam da catedral, e abaixo, um labirinto de ruas sinuosas pavimentadas com seixos, casas altas e estreitas, e infindáveis varais de roupa, presos aos muros das fortificações. Além dos muros, situava-se a cidade nova, com praças rodeadas de árvores e ruas largas que conduziam ao porto, cheio de escunas e iates brancos com altos mastros, e o vapor, que havia acabado de chegar de sua viagem semanal de Barcelona.

Havia dois anos que ela morava naquela adorável região, desde que ali viera pela primeira vez, a bordo do iate de ricos amigos americanos. Depois de seis meses de convivência com eles, Francis enfastiou-se até as orelhas, e quando eles deixaram a embarcação para ir a uma festa, ela nunca mais voltou. Após três dias de pândega, ele havia acordado com uma tremenda ressaca e numa cama que não conhecia, dando-se conta de que o iate e todos os seus ocupantes haviam partido sem ela.

Isso não lhe preocupou nem um pouco. Ela já havia feito então muitos novos amigos, e era rica, casada duas vezes, sem compromissos. O lugar, a vida em San Antonio caíam-lhe na mão das predileções como uma luva. Estava cheio de pintores, de expatriados, escritores e *beatniks*, e Francis, que havia morado por vários meses com um artista malsucedido em Greenwich Village, sentia-se inteiramente em casa. Em pouco tempo encontrara a casa onde agora morava, e quando as primeiras providências relativas ao seu estabelecimento e acomodação no novo endereço haviam sido finalizadas, procurou rapidamente uma forma de preencher o tempo. Decidiu fazê-lo ocupando-se com uma galeria de arte. Num lugar em que havia pintores locais e turistas, uma galeria de arte certamente seria um investimento altamente promissor. Comprou o desativado mercado de peixe inteiro, localizado próximo ao porto, reformou-o e o administrou com o tino comercial que herdara não apenas de seu pai, mas também dos seus dois ex-maridos.

Já passara dos quarenta, mas tudo nela desmentia a passagem dos anos. Alta, muito esguia, bronzeada como uma menina, seus cabelos louros, um enredo de cachos naturais, vestia — com o que se saía muito bem — o tipo de roupa que normalmente só os adolescentes vestem. Calças justas, camisas masculinas, e biquínis que não eram mais que alguns lenços entrançados. Fumava um cigarro após o outro, e tinha consciência de que estava bebendo muito, mas na maioria dos seus dias, e naquela manhã em particular, a vida lhe parecia tão boa quanto ela sempre quisera que fosse.

A festa da noite anterior, organizada em homenagem à primeira exposição de Olaf Svensen, havia sido particularmente um sucesso. Olaf era o jovem mais imundo que ela já havia visto, até mesmo para os padrões de San Antonio, com uma barba sebosa e as unhas dos pés tão encardidas que as pessoas não agüentavam nem olhar, mas as suas esculturas de motivos populares eram a garantia da atração de prováveis compradores, e, por conta disso, Francis ignorava o seu desleixo, e até sentia algum prazer em chocar o público. George Dyer certamente havia sido convidado para a festa — desde a publicação do seu livro, ele havia ganho uma certa celebridade — mas ela não tinha certeza se ele estaria presente, e alegrou-se intensamente ao vê-lo cruzar a porta e desviar-se dos comensais, seguindo em sua direção através do recinto concorrido e cheio de fumaça de cigarro. Ele a informara que estivera em San Antonio para comprar uma peça sobressalente para o seu barco, e após ouvir seus comentários sobre o trabalho de Olaf, entendeu que ele somente havia ido à festa por causa da bebida gratuita, mas o que importava se assim fosse desde que ele estivesse presente? E o que foi ainda melhor, havia ficado até o fim da festa, e depois passado o restante da noite na companhia de Francis. Ela o conhecia, então, fazia aproximadamente um ano. Na primavera passada, havia ido de carro até Cala Fuerte para conhecer o trabalho de um jovem pintor francês que morava lá. E acabara parando, inevitavelmente, no bar de Rudolfo, pagando ao pintor várias rodadas de martíni, mas quando George Dyer entrou no bar, ela abandonou o francês, que terminou adormecendo com a cabeça sobre a mesa, e começou a conversar com ele, chegando os dois a almoçarem juntos. Às 6h da tarde ainda se demoravam na mesma situação, tomando café, quando, a partir de então, prolongaram a folgança com goles de conhaque.

Ele geralmente vinha a San Antonio cerca de uma vez por semana, para pegar suas correspondências no Iate Clube, passar no banco e comprar suprimentos para o seu barco, quase sempre visitando Francis nessas ocasiões, jantando com ela, ou juntando-se os dois a uma festa já em animado andamento, num dos bares à beira-mar. Ela sentia enorme atração por George — mais do que ele, sabia, sentia por ela, mas isso apenas servia para torná-lo ainda mais cobiçável. Ela sentia, também, grande ciúme dos seus interesses, de tudo que o mantivesse longe dela. Gostaria que ele precisasse dela, mas ele parecia não precisar de ninguém. Ele não se impressionava com o dinheiro que ela possuía, mas se deleitava com o seu grosseiro e masculiníssimo senso de humor. Contemplando-o agora, pensou com satisfação que ele era o primeiro homem de verdade que ela havia conhecido depois de muitos anos.

Ele estava se preparando para partir, arrumando as coisas que trouxera num cesto. Apenas observar-lhe as mãos bronzeadas efetuarem aquela tarefa familiar bastava para fazê-la tomar-se de desejo. — Você não comeu nada — disse, antecipando-lhe a resposta, mas mesmo assim esperançosa de convencê-lo a ficar um pouco mais.

— Comerei algo em casa.

Em casa. Desejou que aquela fosse a sua casa. — Um drinque? — experimentou ainda.

Ele sorriu, erguendo-lhe o olhar, a esclerótica visivelmente injetada de sangue e olhos intensamente jubilosos. — Olhe, querida, vou dirigir durante três horas.

— Um drinque não o mataria. — Queria um, ela mesma.

— Não, mas um maldito e gigantesco caminhão poderia, depois que eu houvesse cochilado ao volante.

O cesto estava arrumado. Ele se levantou e disse: — Preciso ir.

Francis levantou-se também, curvou-se para pegar o cigarro e foi ajudá-lo com as suas coisas. Ele ergueu o pesado caixote com a hélice sobressalente, e Francis carregou o cesto, tomando a frente e descendo pelas escadas de pedra em direção ao pátio murado, onde um limoeiro vegetava próximo a um poço. Ela abriu as pesadas portas de folhas duplas que davam para a estreita rua, e deteve-se momentaneamente sob a luz do sol. Ali, no desatinado relevo daquela ladeira, George havia estacionado seu ridículo carro, com as rodas pintadas de amarelo e um capô parecido com um carrinho de bebê. Colocaram-lhe todas as coisas, e George virou-se para se despedir.

— Foi muito bom.

— Isso porque não planejamos nada, querido. Qual é a palavra mesmo? Espontâneo. — Ela o beijou. Era tão alta que não precisava esticar-se para fazê-lo; apenas inclinou-se ligeiramente e o pegou de surpresa. Ela usava um batom abundante e colorido, o qual deixou-lhe adocicados vestígios na boca, levando-o a limpar a mancha com o dorso da mão assim que ela recuou.

Ele entrou no carro.

— Até breve, querido.

— Até, Francis.

— Tchau.

Ele removeu a pedra com que, na noite anterior, quase desmaiando de rir, eles haviam escorado uma das rodas da frente, e George desativou o freio de mão e o carro avançou desimpedidamente, ganhando tremenda velocidade à medida que despertava de sua enferrujada decrepitude, e contornando a esquina de uma rua íngreme e estreita com estampidos e metálicos atritos das engrenagens, somente comparáveis à desorganizada barafunda de uma feira livre, afugentando gatos e galinhas apavorados e levando o membro da *Guardia Civil*, postado no portão da velha muralha, a morder os beiços exibindo a sua veemente reprovação.

Guiou de volta para Cala Fuerte sob rodas de impetuosa suavidade, precipitando-se por estradas poeirentas, cruzando os campos de terras bem cuidadas, revendo os moinhos de vento e testemunhando a paciência dos cavalos emprestando força às rodas hidráulicas. Alcançou a sinuosa estrada ao sopé das montanhas, e o cruzeiro de San

Estaban assomou-lhe às vistas. Relanceou os olhos semicerrados pelo mar, em busca de eventuais sinais de uma nova tempestade, e lembrou-se de Francis. Pensava em ir morar em San Antonio com ela, ao menos pela satisfação de escrever para Rutland, o editor, e mandá-lo para o inferno, fazendo-o saber que ele não iria escrever mais livro algum, mas iria tornar-se um apanhador de lixo nas praias, um lotófago, iria deixar-se sustentar por uma americana rica.

Em San Estaban, a hora da sesta havia terminado, os batentes haviam sido abertos e alguns serenos fregueses sentavam-se às calçadas dos cafés-restaurantes. Quando George passou-lhes à frente, acionou a buzina, recebendo em troca exclamações de "*Hombre!*" e acenos latinos, pois todos o conheciam, senão pelo nome, ao menos de vista, já que era o louco inglês do pequeno carro de rodas amarelas, que com ele desfilava pela ilha usando um boné de iatista, e que havia escrito um ou dois livros.

Quando avançava pelos últimos quilômetros da estrada que conduzia a Cala Fuerte, enfiou-se, liberado da preocupação de acelerar e engatar marchas pelo forte impulso do motor momentaneamente ocioso, num monólogo para decidir se passaria ou não no bar de Rudolfo para um drinque. Optou, afinal, por seguir adiante. Sem dúvida, toparia com amigos, demorar-se-ia mais do que tencionava, beberia mais do que deveria. Não confiava no clima, e Perla devia estar faminta. Assim, ao invés de parar, anunciou-lhes a volta com uma amistosa buzinadela ao cruzar a praça, ofertando joviais acenos a quantos estivessem eventualmente sentados no terraço do Cala Fuerte. Não havia sinal da presença de Rudolfo, mas um ou dois folgazões devolveram-lhe o cumprimento em ligeiro sobressalto, e a agradável sensação de retorno ao lar invadiu-lhe o peito, enchendo-lhe, sob a inspiração de assobios, os pulmões de alegria.

Continuava a assobiar quando entrou em casa. Selina, ainda sentada na escada, ouvira-lhe o carro subjugar a colina, descer a ladeira, e parar, com os freios emitindo guinchos de caducidade, do lado de fora da Casa Barco. Manteve-se imóvel, o gato branco, um grande peso pesado, adormecido em seu colo. Silenciara-se o motor do carro, e foi então que ela ouviu o assobio. Ele prosseguia, cada vez mais alto. A porta da Casa Barco abriu-se, e um homem entrou.

Ele carregava o cesto numa das mãos, uma caixa de papelão debaixo do braço oposto, e um jornal preso pelos dentes. Fechou a porta com o fundo das calças, depôs o cesto no assoalho, tirou o jornal da boca e o jogou dentro do cesto, e em seguida conduziu a caixa até a mesa situada próximo à máquina de escrever, apoiando-a cuidadosamente sobre a peça de mobília. Selina não pôde ver seu rosto, pois estava obscurecido pela pala de seu esbatido e esfarrapado boné de marinheiro. Ele abriu a tampa da caixa e verificou-lhe o conteúdo sob as aparas de papel. Aparentemente satisfeito, pegou então o binóculo e desapareceu terraço afora. Selina permaneceu sentada, quieta como o tempo todo estivera, mas o gato começou a despertar. Ela o acariciou. De um lado, por nervosismo, de outro porque não queria que o bichano se movesse. Após alguns instantes, George tornou para o interior da casa, deixou o binóculo de lado, tirou o boné e o arremessou sobre a mesa. Tinha os cabelos escuros, fartos e começando a tingir-se dos primeiros fios brancos. A peça de roupa que lhe cobria o tronco guardava a semelhança com uma desbotada camisa azul de fazendeiro, suas calças de um desvelado denim cáqui, seus calçados, empoeiradas sandálias com solado de corda. Ainda assobiando, voltou para pegar o cesto e levá-lo para a cozinha, furtando-se mais uma vez das vistas de Selina. Ouviu-lhe abrir e fechar a porta da geladeira, registrando também com os ouvidos atentos o ruído de uma garrafa sendo aberta, o tinir de copos, obviamente para servir-se de um drinque. Quando ele apareceu novamente, trazia nas mãos um copo contendo o que aparentava ser soda. Tornou a sair ao terraço e chamou "Perla!" A gata começou a espreguiçar as pernas. — Perla! Perlinha! — insistiu, produzindo os sibilos dos quais costumamos nos utilizar para atrair felinos domésticos. A gata pareceu miar-lhe em resposta. Entrou novamente na casa. Perla.

Selina correu a língua sobre os lábios, respirou fundo, e disse:

— Você está procurando a gata?

George deteve-se abruptamente, olhou para cima e viu a jovem moça sentada no topo da escada. Ela exibia pernas longas e desnudas, e os pés descalços, e Perla, como uma enorme almofada de pêlo de arminho, jazia em seu colo.

Carregou o semblante ligeiramente, tentando lembrar-se.

— Você está aí desde que eu cheguei? — perguntou.

— Sim.

— Nunca a vi antes.

— Não, eu sei que não. — Considerou a voz de Selina muito bem modulada, de excelente empostação.

— Perla é o nome da sua gata? — prosseguiu ela.

— Sim. Voltei para alimentá-la.

— Ela esteve deitada no meu colo a tarde inteira.

— A tarde... Há quanto tempo você está aqui?

— Desde as 2h30.

— Duas e meia? Mas são mais de 5h — estranhou, passando o olhar pelo relógio.

— Sim, eu sei.

Perla resolveu tomar parte na conversa e, para tanto, levantou-se, espreguiçou-se, emitiu um novo e lamentoso miado, saltou suavemente do colo da moça e desceu a escada. Chiando como uma chaleira, enroscou-se em torno das pernas de George, mas a princípio foi ignorada.

— Você está aqui por algum motivo em particular?

— Oh, sim, eu vim vê-lo.

— Bem, não seria uma boa idéia descer e sair da escada?

Ela assim procedeu. Pôs-se de pé, revelando-se obviamente muito pouco à vontade, e descendo um degrau de cada vez, tentando tirar os cabelos do rosto. Comparada a Francis Dongen, e a todas as outras jovens bronzeadas de San Antonio, ela era muito branca, com cabelos ruivos escorridos, os quais lhe pendiam até os ombros. Seus olhos eram azuis, mas os trazia embaciados pelo cansaço. Ele achou que ela era jovem demais para ser considerada bonita.

— Eu nem ao menos a conheço... ou conheço?

— Não. Você não conhece. Espero que você não se importe por eu ter entrado em sua casa.

— De forma alguma.

— A porta não estava trancada.

— Elas não têm trancas.

Selina sorriu, pensando que talvez tal afirmação fosse uma piada, mas aparentemente não era, então parou de sorrir, e tentou pensar no que dizer em seguida. Inconscientemente, ela esperava que ele a reconhecesse, dissesse "Quem você me faz lembrar?" ou " Mas, claro, eu já a vi antes em algum lugar." Mas nada parecia indicar que ele fosse proferir tais palavras. Ela achou seu aspecto desconcertante, o semblante não mais guardando o brilho dos olhos, um homem não mais envergando a elegância do jovem oficial que seu pai fora. Esperava que ele fosse bem bronzeado, mas não se havia dado conta de que seu rosto pudesse ser tão enrugado, ou seus olhos escuros tão injetados de sangue. O fato de que ele estava com a barba por fazer não apenas lhe ocultava as linhas bem definidas e a fissura do queixo, mas lhe realçava a aparência malfazeja.

— Eu... imagino que você esteja se perguntando por que estou aqui.

— Bem, sim, estou, mas não tenho dúvidas de que, com o tempo, você me dirá.

— Vim para cá de avião, de Londres... esta manhã, ontem à noite, quero dizer. Não, esta manhã.

Ele viu-se acometido de uma terrível suspeita. — Rutland a enviou?

— Quem? Oh, o sr. Rutland, o editor. Não, não me enviou, mas disse que gostaria que você respondesse suas cartas.

— Com mil demônios que disse. — Um outro pensamento lhe ocorreu.

— Mas então você o conhece?

— Oh, sim, estive com ele e perguntei-lhe como poderia encontrá-lo.

— Mas quem você é?

— Meu nome é Selina Bruce.

— O meu é George Dyer, mas imagino que você já saiba.

— Sim, sei...

Houve uma pausa. George, embora relutasse, começou a ficar intrigado. — Você não seria uma fã? Não seria a presidente do fã-clube de George Dyer? — Selina meneou a cabeça. — Então você está hospedada no Hotel Cala Fuerte e leu o meu livro? — Ela meneou a cabeça novamente. — Isto está parecendo um interrogatório policial, não é? Você é famosa? É uma atriz? É cantora?

— Não, mas eu precisava vê-lo, pois... — perdeu a coragem. — Pois precisava pedir-lhe seiscentas pesetas emprestadas.

George Dyer sentiu o próprio queixo cair de espanto, e depôs o copo de soda subitamente sobre uma das peças da mobília antes que acidentalmente o deixasse cair.

— O que você disse?

— Você tem — repetiu Selina, procurando exprimir-se em voz alta e clara, como se estivesse falando com alguém que sofresse de surdez — seiscentas pesetas que me possa emprestar?

— Seiscentas! — exclamou, rindo. Mas riu um riso amarelo. — Você deve estar brincando.

— Gostaria que estivesse.

— Seiscentas pesetas! Não tenho nem vinte!

— Mas preciso arranjá-las, para pagar ao motorista de táxi.

George relanceou o olhar em torno do recinto. — O que o motorista de táxi tem a ver com isso?

— Tive de pegar um táxi do aeroporto até Cala Fuerte.

Disse ao motorista que você pagaria a corrida, pois eu não tinha o dinheiro. Minha carteira foi roubada no aeroporto enquanto aguardava paia saber se conseguiria encontrar minha bagagem... Olhe... — Foi pegar a bolsa, para mostrar-lhe as pontas das alças claramente cortadas. — O membro da *Guardia Civil* disse que deve ter sido um ladrão muito experiente, já que eu não percebi nada, mas ele roubou apenas a minha carteira.

— Apenas a sua carteira. E o que a sua carteira continha?

— Meus cheques de viagem, algum dinheiro britânico, e algumas pesetas. E — acrescentou, com o ar de quem estava determinado a abrir inteiramente o jogo — minha passagem de volta.

— Entendo — disse George.

— E o motorista está esperando até agora, no Hotel Cala Fuerte. Por você. Para pagar-lhe.

— Você quer dizer que pegou um táxi do aeroporto até Cala Fuerte para encontrar-me e assim poder pagar a passagem? Isso é loucura...

— Mas eu já expliquei... você entende..., não consegui reaver minha bagagem...

— Então você perdeu a bagagem *também*!

— Não perdi minha bagagem — *eles* a perderam. A companhia aérea.

— Você é mesmo cosmopolita: café da manhã em Londres, almoço na Espanha, bagagem em Bombaim.

— Ela foi transportada até Barcelona, mas eles acham que de lá ela foi equivocadamente enviada para Madri.

— Então — disse George, com ares de um eficiente apresentador de televisão, conduzindo um programa de perguntas e respostas — sua bagagem está em Madri, sua carteira foi roubada e você precisa de seiscentas pesetas para pagar a corrida do táxi.

— Sim — disse Selina, contente por ver que finalmente ele tinha entendido o que havia acontecido.

— E qual é o seu nome mesmo?

— Selina Bruce.

— Bem, srta. Bruce, embora eu esteja encantado por tê-la conhecido, e naturalmente desolado por saber de todo o seu infortúnio, ainda não consigo entender o que tudo isso tem a ver comigo.

— Acho que tem muito a ver com você — disse Selina.

— Ah, tem?

— Sim. Sabe... Acho que sou sua filha.

— Você acha...

A primeira impressão que teve foi a de ela ser louca. Ela tinha de ser. Era mais uma daquelas mulheres que andam por aí afirmando serem a esposa de Napoleão, com a diferença de que esta tinha uma fixação por ele.

— Sim, acho que você é meu pai.

Ela não era louca. Era inteiramente inocente e acreditava no que estava dizendo. Disse consigo mesmo que deveria procurar ser racional. — De onde você tirou essa idéia?

— Tenho uma pequena fotografia do meu pai. Pensei que ele estivesse morto. Mas ele tem o rosto muito parecido com o seu.

— Que azar o dele.

— Oh, não, não é azar algum.

— Você trouxe a fotografia consigo?

— Sim, está bem aqui... — Ela curvou-se para pegar sua bolsa novamente, e ele tentou avaliar quantos anos ela tinha; para conseguir, tentou lembrar-se, sob o influxo de apreensões freneticamente desesperadoras, se havia a mínima probabilidade de aquela terrível afirmação ser verdadeira. — Está aqui... Sempre a tenho comigo desde que a encontrei, há cerca de cinco anos. E então quando a vi na capa do seu livro... — Estendeu o braço para entregá-la. Ele a pegou, sem tirar os olhos do rosto de Selina — Quantos anos você tem? — perguntou ele.

— Vinte.

O alívio fê-lo sentir grande lassidão. Para esconder a inevitável expressão em seu rosto, baixou rapidamente a cabeça em direção à fotografia que Selina lhe havia entregue. Ele nada disse. E então, assim como Rodney fizera quando Selina a mostrou, George Dyer foi observá-la com o auxílio de melhor iluminação. Depois de algum tempo, ele perguntou:

— Como ele se chamava?

Selina engoliu em seco. — Gerry Dawson. Com as mesmas iniciais do seu nome.

— Você poderia falar algo a respeito dele?

— Não muito. Entende, sempre me disseram que ele havia morrido antes de eu nascer. Minha mãe se chamava Harriet Bruce, e ela morreu *logo* depois que eu nasci, então minha avó me criou e é por isso que me chamo Selina Bruce.

— Sua avó. A mãe de sua mãe.

— Sim.

— E você achou esta fotografia...?

— Cinco anos atrás. Dentro de um dos livros de minha mãe. E então eu... fui presenteada com *Fiesta em Cala Fuerte*, vi sua fotografia impressa na contracapa, e parecia ser igual à outra. O mesmo rosto, quero dizer. O mesmo. A mesma pessoa.

George Dyer manteve-se em silêncio. Deslocou-se da

porta aberta e veio devolver-lhe a fotografia. Em seguida, acendeu um cigarro, e após apagar o palito de fósforo e colocá-lo bem no centro do cinzeiro, disse:

— Você afirma que lhe disseram ter ele morrido. O que você quer dizer exatamente com isso?

— Que apenas fui informada de sua morte. Mas sempre soube que minha avó não gostava dele. Ela nunca quis que minha mãe se casasse com ele. E quando eu vi a fotografia, achei que talvez tivesse havido algum equívoco; que positivamente ele não havia morrido mesmo; que possivelmente se havia ferido, que havia perdido a memória ou algo semelhante. Isso acontece, sabia?

— Mas não com seu pai. Seu pai está morto.

— Mas você...

— Não sou seu pai — disse, muito gentilmente.

— Mas...

— Você tem 20 anos. Eu tenho 37. Provavelmente pareço ter muito mais, porém, na verdade, tenho apenas 37. Nem mesmo estive na guerra — pelo menos não na que seu pai esteve, de forma alguma.

— Mas as fotografias...

— Suponho que Gerry Dawson tenha sido um primo meu de segundo grau. O fato de nós nos parecermos é mero capricho da natureza. Para ser franco, não acho que tenhamos sido tão parecidos assim. A fotografia de seu pai e a da capa do meu livro foram tiradas em épocas muito distantes. E mesmo nos meus melhores dias, eu não era tão vistoso quanto ele.

Selina deteve-se a fitá-lo. Nunca havia visto um homem tão moreno, e alguém que precisasse ter alguns botões costurados na camisa, pois ele a trazia aberta de cima a baixo, deixando-se ver os pêlos escuros do tórax, e as mangas dobradas até quase ao nível dos cotovelos, como se não quisesse dar-se ao trabalho de imaginar o que delas melhor pudesse fazer. Sentia-se apreensiva, como se não conseguisse ter controle sobre o que quer que fosse que seu corpo optasse por fazer. Suas pernas poderiam desfalecer, seus olhos se encherem de lágrimas, ela poderia até mesmo agredi-lo enquanto ele lá se entretinha, dizendo-lhe que não era seu pai, que realmente tudo era verdade, que Gerry Dawson estava morto.

Ele continuava a falar, dando a impressão de que estava tentando ser gentil. — ... Sinto muito que você tenha vindo de tão longe. Não se sinta tão mal com tudo isso... É um equívoco que se pode facilmente cometer... Afinal de contas...

Havia-lhe um nó na garganta que doía, e o rosto dele, tão próximo ao seu, começou a ofuscar-se, como se se desfizesse em líquida substância, a depositar-se no fundo de um lago de águas amargamente desilusórias. Estivera sentindo muito calor, mas agora gelava de frio, seus braços e suas costas, e até mesmo a raiz dos seus cabelos, arrepiando-se de frio. — Você está se sentindo bem? — perguntou ele, parecendo falar-lhe a grande distância, e ela percebeu, envergonhada, que não iria, afinal, desmaiar, nem agredi-lo furiosamente, mas simplesmente desfazer-se, ignominiosamente, em lágrimas.

6

— Suponho que você não tenha algo que se pareça com um lenço? — perguntou ela.

Não tinha, mas foi buscar uma enorme caixa de lenço descartável e entregou-a a Selina. Ela retirou uma folha e assoou o nariz, dizendo a seguir:

— Não acho que vou precisar de todos eles.

— Eu não teria tanta certeza.

— Desculpe. Não tencionava fazer isso. Chorar, quero dizer.

— Certamente que não.

Retirou uma outra folha e asoou o nariz novamente.

— Esperei tanto tempo. De repente, tudo esfriou.

— Está mais frio. O sol se foi. Uma tempestade parece estar se formando. Olhe, venha para cá e sente-se.

Apoiou-lhe a mão sob um dos braços e fê-la conduzir-se para o enorme sofá, e porque ela ainda tremia, puxou-lhe o cobertor vermelho e branco sobre as pernas e disse que iria pegar-lhe um pouco de conhaque. Selina informou-lhe que não gostava de conhaque, mas ele foi buscá-lo assim mesmo, e ela ficou a observá-lo enquanto ele se demorava atrás do balcão de sua pequena cozinha, procurando um copo e a garrafa, para lhe servir.

Quando retornou, com o copo na mão, Selina disse:

— O que eu precisava mesmo era comer algo.

— De qualquer forma, beba isto primeiro.

O copo era pequeno e largo, e a bebida foi servida pura. Selina estremeceu. Quando terminou, ele pegou o copo vazio, e, enquanto se encaminhava para a cozinha, despejou as cinzas de cigarro na lareira e a supriu de lenha com as ripas e pedaços de madeira que recolhia à beira-mar, provavelmente restos de naufrágio trazidos pela maré. As cinzas esvoaçaram e assentaram novamente, cobrindo a lenha fresca com um manto cinzento. Logo depois, enquanto Selina observava, houve um surto de vermelho clarão e a ardência de minúscula chama.

— Você não precisa nem mesmo usar o fole... A madeira já começou a queimar — disse Selina, surpresa.

— Eles sabem como fazer uma lareira por aqui. O que você gostaria de comer?

— Qualquer coisa.

— Sopa. Pão com manteiga. Carne. Frutas.

— Você tem sopa?

— Enlatada...

— E não lhe parece tão impróprio?

— Não tanto quanto vê-la chorar.

— Não quis ofendê-lo — desculpou-se Selina, mas, por sua vez, ofendida.

Enquanto a sopa esquentava, ele voltou para lhe fazer companhia e, após acomodar-se próximo à lareira, retomou a conversa. — Em que parte da Inglaterra você mora? — perguntou, estendendo a mão para pegar um cigarro, e acendendo-o com uma acha de lenha esbraseada.

— Em Londres.

— Com sua avó?

— Minha avó já morreu.

— Você mora sozinha?

— Não. Com Agnes.

— Quem é Agnes?

— Minha babá — disse Selina, arrependendo-se imediatamente, pensando que bem poderia cortar-se a língua fora. — Quero dizer... ela foi minha babá.

— Não há mais ninguém?

— Sim — disse Selina. — Rodney.

— Quem é Rodney?

Selina arregalou os olhos. — Ele é meu... advogado.

— Alguém sabe que você está aqui?

— Agnes sabe que eu viria.

— E o advogado...?

— Está viajando. A negócios.

— Então não há ninguém para se preocupar com você? Que se pergunte onde você esteja?

— Não.

— Bem, isso é preocupante.

A sopa começou a ferver. George Dyer retornou à cozinha para pegar um prato fundo e uma colher, e Selina disse:

— Gosto de sua casa.

— Gosta?

— Sim, dá uma sensação agradável, como se tivesse acabado de ser construída. Como se nunca houvesse sido planejada.

Ela pensou no apartamento de Londres em que ela e Rodney iriam morar quando se casassem. No tempo e no trabalho que estavam empregando para a escolha dos tapetes e cortinas, da iluminação adequada, das almofadas, e dos cestos de lixo, e do tipo de cozinha, das panelas e caçarolas.

— Acho que toda casa deveria ser assim. Deveria permitir prontas modificações. Evoluir, assim como as pessoas que a habitam — disse ela. George Dyer estava se servindo de um copo de uísque com soda e não respondeu. — Logicamente, não se pode prescindir de algumas coisas; você precisa ter um teto acima da cabeça, uma lareira, e... suponho, algum lugar para dormir — continuou Selina. Ele voltou da cozinha, carregando numa das mãos o prato de sopa, com a colher pendendo-lhe visivelmente da borda, e o seu drinque na outra mão. Selina pegou o prato de sopa e perguntou:

— Como você conseguiu colocar a cama no mezanino?

— Desmontada. Nós a armamos lá em cima.

— É bem grande.

— Na Espanha, chamam-na de *matrimoniale*. Cama de casal.

Selina ficou um pouco constrangida. — Não pude imaginar como você a tinha colocado lá em cima. Eu... eu não deveria ter olhado, sinto muito, mas queria ver tudo antes que você chegasse.

— O que você vai fazer agora? — perguntou ele.

Selina baixou o olhar sobre a sopa, e a remexeu por instantes, pensativa. Era uma sopa de legumes, com flutuantes letrinhas de massa de macarrão. — Suponho que seja melhor eu ir para casa.

— Sem passagem e sem dinheiro?

— Se eu conseguisse algum emprestado, poderia voltar para San Antonio no táxi de Toni. E poderia pegar o próximo vôo de volta para Londres.

— Eu realmente estava lhe dizendo a verdade quando

disse que não tinha seiscentas pesetas. Uma das razões por que fui a San Antonio ontem foi para sacar dinheiro no banco, mas a compensação de cheques na agência em Barcelona atrasou, e no momento estou praticamente sem nada.

— Mas o que faço com o motorista de táxi? Tenho de pagar-lhe.

— Talvez Rudolfo, do Hotel Cala Fuerte, nos possa ajudar.

— Isso é pedir demais.

— Ele está acostumado.

— Não preciso apenas de seiscentas pesetas. Tenho de comprar uma outra passagem aérea.

— Sim, eu sei.

A sopa ainda estava quente demais para ela tomar. Selina a mexeu um pouco mais, e disse:

— Você deve achar que eu sou a maior tola do mundo. — Não esboçou gesto algum para contradizê-la. — Sem dúvida, eu deveria ter escrito ou algo parecido, mas não pude suportar a idéia de ficar aguardando a resposta — prosseguiu ela, sem que ele fizesse ainda comentário algum, o que a fez sentir a necessidade de tentar justificar-se. — As pessoas talvez pensem que seja fácil você se acostumar com o fato de não ter um pai, principalmente se você nunca o conheceu. Mas eu jamais me acostumei com isso. Costumava pensar sobre o assunto o tempo todo. Rodney acha que eu tenho obsessão por isso.

— Não vejo como possa ser ruim ter obsessão pelo ente paterno.

— Mostrei a Agnes a fotografia na capa do seu livro, e ela levou um grande susto, pois você se parece muito com meu pai. Isto é o que realmente me fez vir, pois Agnes o conhecia muito bem. E eu não pareceria tão estúpida se não tivessem roubado a minha carteira. Até então, havia me saído muito bem. Peguei todas as conduções certas; não tive culpa se minha bagagem foi enviada para Madri.

— Você nunca havia viajado sozinha antes? — parecia não acreditar.

— Oh, sim, muitas vezes. Mas apenas nos trens que me conduziam para a escola ou algo assim. — Alguma coisa no semblante dele parecia compeli-la a ser integralmente honesta. — Mas sempre havia alguém para me pegar... — disse ela, dando de ombros. — Você sabe como é.

— Não, não sei, mas acredito em você.

Ela começou a tomar a sopa. — Se o meu pai realmente foi seu primo em segundo grau, então nós somos parentes.

— Em terceiro grau para ser exato.

— Parece terrivelmente longínquo, não acha? E um tanto nobre. Você chegou a conhecer o meu pai?

— Não, nunca o vi pessoalmente — disse, franzindo o sobrolho. — Qual é mesmo o seu nome?

— Selina.

— Selina. Bem, se eu precisasse de alguma evidência para provar que você não é minha filha, ei-la aí.

— Como assim?

— Nunca registraria minha filha com esse nome.

— Que nome você a daria?

— Os homens raramente esperam ter filhas. Sempre imaginam que o bebê será um menino. George Dyer Júnior, talvez. — Ele ergueu o copo em saudação do fictício filho, sorveu-lhe todo o conteúdo e o pôs no móvel. — Agora, vamos, tome a sopa toda para podermos sair e procurar o motorista.

Enquanto ele colocou o prato e os copos na pia e alimentou a faminta Perla, Selina lavou as mãos e o rosto no lavatório do banheiro, penteou os cabelos,vestiu as meias e calçou os sapatos novamente. Depois de se aprontar, deu-se conta de que ele havia saído ao terraço mais uma vez, com o boné na cabeça, e estava observando o porto através de seu binóculo. Selina pôs-se de pé ao seu lado.

— Qual é o seu barco?

— Aquele.

— Como se chama?

— *Eclipse.*

— Parece grande para ser conduzido por uma única pessoa.

— E é. Geralmente tenho uma tripulação. — E acrescentou: — Fico um pouco apreensivo quando o tempo muda desse jeito. Fortes correntezas acometem a enseada, com ímpeto ainda maior, depois de contornarem aquele promontório, e já houve ocasião em que ele se soltou da âncora.

— Mas agora certamente ele está seguro lá.

— Para alívio meu, as rochas descansam em águas profundas naquele ponto.

Selina deu uma olhadela no céu. Estava carregado e cinzento. — Vai haver uma outra tempestade?

— Sim, o vento mudou de direção. O serviço de meteorologia havia previsto péssimas condições de tempo. — Ele baixou o binóculo e pousou nela o olhar. — Você pegou a tempestade de ontem à noite?

— Ela nos perseguiu desde os Pireneus. Quase não conseguimos aterrissar em Barcelona.

— Tempestades em alto-mar não me causam medo, mas uma tempestade em pleno vôo é de me deixar paralisado de medo — disse ele. — Você está pronta?

— Sim.

— Vamos pegar o carro.

Entraram novamente na casa e ele colocou o binóculo sobre a secretária, enquanto Selina pegava sua bolsa e dizia um mudo adeus à Casa Barco. Ela havia pensado tanto no momento de conhecê-la, e agora, depois de apenas algumas horas, iria deixá-la. Para sempre. Ela recolheu o casaco.

— Para que diabos é isso? — estranhou ele.

— Ué, é o meu casaco. Faz frio em Londres.

— Sabe, eu havia esquecido. Deixe, eu o carrego para você. — Ele o jogou sobre o ombro e acrescentou: — A vantagem de você ter perdido a bagagem é que pelo menos você vai viajar com pouco peso.

Saíram da casa, e Selina não sabia se seu carro era propositalmente uma piada ou não. Dava a impressão de ter sido enfeitado para o carnaval de Veneza, e ela teve grande vontade de perguntar se ele mesmo havia pintado as rodas, mas não teve coragem. Eles entraram, George pôs o casaco no colo de Selina, e, em seguida, ligou o motor, engatou a marcha e manobrou o carro com temerários arrancos e recuos, ocasionando uma série de horripilantes e abruptas sacudidelas. Selina pressentia, no coração que lhe subia à boca, a iminência de um desastre. Em certo momento, pareciam prestes a se esborracharem na pétrea solidez de um muro. Noutro, as rodas traseiras pareciam vacilar na borda de uma íngreme escadaria. Selina fechava os olhos. Quando finalmente arrancaram ladeira acima, sentiu o nariz encher-se do cheiro de gases intensos, gerados pela excessiva queima de combustível, e receou-se do sinistro, metálico tinido das peças aparentemente soltas e atritantes que se digladiavam em algum ponto sob o chassi. Os assentos afundavam ao receberem a acomodação de alguém e tinham buracos incorrigíveis, e o assoalho, que tinha perdido o revestimento havia provavelmente muitos anos, rememorava nada mais nada menos que o fundo de uma lata de lixo. Para o bem de George, Selina acalentava o desejo de o iate dele ser mais confiável.

Mas, apesar de tudo, havia algo de muito amistoso em viajar no carro de George Dyer. Todas as crianças gritavam de alegria ao vê-lo passar, saudando-o em brados jubilosos. Todas as mulheres sentadas em seus jardins, ou tecendo em suas portas mexericos sobre a vida alheia, volviam-se para sorrir e lançar-lhe ao encalço algum tipo de cumprimento. Todos os homens, acomodados às calçadas dos cafés, ou voltando do trabalho para casa, detinham-se, de alguma forma, para vê-los deslizar em rodas de simpatia, brindando-os com afáveis gracejos latinos, os quais Selina não entendia, mas que George Dyer evidentemente sim.

— O que eles estão dizendo?

— Querem saber onde encontrei minha nova *señorita*.

— Só isso.

— Isso não basta?

Pararam à porta do Hotel Cala Fuerte com estardalhaço, e tão bruscamente que uma nuvem de poeira branquicenta ergueu-se de sob as rodas e emporcalhou as mesas, empoando os drinques dos hóspedes que se entretinham no terraço de Rudolfo saboreando os primeiros aperitivos da noitinha. — Maldita falta de educação — disse um dos cidadãos ingleses, mas foi ignorado por George Dyer, que saltou do carro sem se dar ao trabalho de abrir a porta, e subiu os degraus que davam acesso ao terraço, passando pela cortina de cadeias, com Selina atrás.

— Rudolfo!

Rudolfo estava trabalhando no bar. — Não há necessidade de gritar — disse em espanhol.

— Rudolfo, onde está o motorista de táxi?

Rudolfo não esboçou o costumeiro sorriso. Enquanto enchia os copos de bebida numa bandeja, disse:

— O motorista foi embora.

— Embora? Não quis mais receber o dinheiro?

— Sim, ele queria o dinheiro. Seiscentas pesetas.

— Quem lhe pagou.

— Eu — disse Rudolfo. — E quero conversar com você. Espere até eu terminar de servir aos hóspedes.

George saiu do bar, passou por eles sem dizer nada, e desapareceu através da cortina de cadeias, em direção ao terraço. Selina fitou George e perguntou:

— Ele está chateado?

— É, suponho que alguma coisa o aborreceu.

— Onde está Toni?

— Ele se foi. Rudolfo lhe pagou.

Alguns segundos foram necessários até que se recuperassem do constrangimento de uma situação tão embaraçosa. — Mas se ele já foi... como voltarei para San Antonio?

— Só Deus sabe.

— Você terá de me levar.

— Não vou guiar de volta para San Antonio a esta hora, e mesmo que eu fosse, não temos como lhe comprar a passagem aérea.

Selina mordeu os lábios, e disse:

— Rudolfo me pareceu tão gentil anteriormente.

— Assim como a nossa, a sua personalidade tem os dois lados da moeda.

Rudolfo retornou, deixando para trás as tiras da cortina a entrechocarem-se ruidosamente, e colocou a bandeja no balcão, voltando-se para George.

Dirigiu-lhe a palavra em espanhol, o que talvez tenha sido bem apropriado, pois a linguagem que ele empregou poderia ferir os ouvidos da jovem e delicadamente educada *señorita* inglesa. George, com bom humor, procurou defender-se. Quando elevaram o tom de voz, Selina, impossibilitada de ignorar o fato de que a maior parte das alusões lhe dizia respeito, tentou pedir "Oh, digam-me por favor por que todo esse falatório", ou "Vocês não poderiam falar um pouco em inglês para que eu pudesse entender exatamente o que está acontecendo", mas nenhum dos dois parecia tomar o menor conhecimento de suas intenções.

A discussão foi finalmente interrompida pela chegada de um gordo turista alemão que queria uma caneca de cerveja, e quando Rudolfo foi até o bar lhe servir, Selina aproveitou a oportunidade, puxou a manga da camisa de George e perguntou:

— O que aconteceu? Diga-me o que aconteceu?

— Rudolfo está aborrecido porque você disse que aguardaria na Casa Barco, e ele achou que o motorista também aguardaria lá com você. Ele não gostou nada do fato de ter motoristas de táxi perdidos em seu hotel, detendo-se várias horas no bar, quase caindo de tanto beber, e ele parece ter contraído grande antipatia por esse que a trouxe para cá.

— Oh.

— Sim, oh.

— Isso é tudo?

— Claro que não. Para finalmente conseguir livrar-se dele, Rudolfo decidiu pagar-lhe. E agora diz que eu lhe devo seiscentas pesetas, e está preocupado porque acha que eu não terei como reembolsar-lhe.

— Mas eu lhe pagarei... prometo...

— Não basta prometer. Ele quer o dinheiro agora.

O turista alemão, sentindo o pesado ambiente do bar, pegou sua cerveja e dirigiu-se para a rua, e mal se havia retirado, estando ainda a cruzar a porta, quando Rudolfo e George voltaram a se indispor, em meio às frustradas tentativas de apaziguamento de Selina.

— Oh, por favor, sr.... Rudolfo, quero dizer. A culpa é minha, e eu providenciarei para que o senhor seja pago, mas o senhor entende, roubaram todo o meu dinheiro...

Rudolfo tinha ouvido isso antes. — Você disse que esperaria na Casa Barco. Com o motorista.

— Não sabia que ele ficaria tanto tempo aqui.

— E você — Rudolfo voltou-se para George novamente. — Onde você estava, afinal? Vai para San Antonio e não volta mais, e ninguém sabe onde você está...

— Que diabos isso tem a ver com você? Onde eu vou e o que eu faço é problema exclusivamente meu.

— Tem tudo a ver comigo quando eu tenho de pagar suas contas.

— Ninguém lhe pediu para pagar nada. Aliás, a conta não é minha. E você fez uma grande besteira, pois agora a *señorita* não pode voltar para San Antonio.

— Por que você mesmo não a leva?

— Vá pro inferno! — vociferou George. E, com isso, disparou bar afora, desceu as escadas do terraço de uma passada só, e alcançou o carro num segundo. Selina seguiu-lhe os passos. — E quanto a mim? — disse ela.

Ele virou-se para encará-la. — Bem, você vai vir ou vai ficar aqui?

— Não quero ficar aqui.

— Vamos, então.

Não havia alternativa. Metade da vila e os hóspedes de Rudolfo pareciam estar gostando da cena. George estendeu o braço para abrir-lhe a porta, e Selina sentou-se ao seu lado.

Nesse instante, como que sob as ordens de um celestial guardião dos fenômenos atmosféricos, a tempestade irrompeu dos diques da natureza.

Clarões relampejantes rasgavam os céus em raios de furiosa intensidade, e os pinheiros vergavam sob o repentino surto de poderosa ventania, talvez mobilizada pelo estrondo de temerosos trovões. As toalhas das mesas dispostas no terraço do Cala Fuerte eram expulsas de seus domínios, ou então esvoaçavam nervosamente, como as frágeis velas de um barco abandonadas ao ímpeto de uma tempestade. Um chapéu fugia forçosamente da proteção de um cabide posto à frente da loja de Maria, e sem destino seguia rolando sob a força do arruaceiro vento, como uma grande roda amarela e rosa, pela rua principal. O pó erguia-se em espirais de poeira, e atrás do vento e chuva veio um súbito lençol d'água, com gotas tão enormes e abundantes que em segundos inundaram as sarjetas. Todos se refugiaram rapidamente no abrigo de tetos e paredes. Os hóspedes de Rudolfo, as mulheres enrediças, as crianças lépidas, os dois homens que trabalhavam na estrada. Pairava em tudo e na crença de todos um escuro nimbo de iminente calamidade, como se tivessem soado a sirena de um ataque aéreo, e em pouco tempo o lugar estaria completamente deserto se não fosse pela presença de Selina e George, e o seu pequeno carro.

Ela fez menção de sair do carro, mas ele conseguiu

fazer o motor pegar, e gritou para que ela não saísse do lugar.

—Por que não procurarmos abrigo também? —disse ela.

—Para quê? Você está com medo de uma simples chuvinha?

— *Chuvinha*? — George trazia o semblante tenso, e não se dignou a responder. — A capota não funciona? — perguntou ela ainda.

Ele engatou a marcha e arrancou com o ímpeto da decolagem de um foguete.

—Deixou de funcionar há dez anos —vociferou, tentando superar o barulhento conluio do carro, da chuva e do vento. Não demorou muito para que se vissem alcançados pela água até o nível das rodas do carro, com Selina tendo os pés submersos. Ela se perguntava se não acabaria tendo de arrumar um balde para retirar a água que se acumulava dentro do carro, como muitas vezes vira acontecer em comédias e desenhos animados.

—Ora, para que serve uma capota se ela não funciona?

—Ah, pare de reclamar de dor de barriga.

—Não estou com dor de barriga, mas...

Ele acelerou, e as palavras dela se perderam no receoso afã de agarrar-se a algo. O carro saculejava velozmente ao longo da estrada, suas rodas emitindo nas curvas guinchos de eficaz aderência, e lançando aos ares lençóis de lama amarelenta. O mar se enlutava de cinza, e os encantadores jardins das pequeninas vilas já haviam sucumbido à devastação do vento. O ar parecia imbuído dos restos de naufrágio — folhas, palha fragmentária e agulhas de pinheiros —e quando eles finalmente venceram a montanha e pegaram a vereda que conduzia à Casa Barco, a água, alojada entre os altos muros das casas, havia alcançado a proporção de um córrego profundo, e o final da viagem no carro de George foi como praticar canoagem.

A maior parte dessa água desviava-se, pela força da gravidade, na direção da escadaria que conduzia ao porto, mas uma grande quantidade dela havia invadido a velha e desativada loja de material de pesca onde ele guardava o carro, e que dava a impressão de que já estava completamente alagada.

Apesar disso, ele estacionou o carro em seu interior, parando perigosamente a poucos centímetros da parede dos fundos. Ele desligou o motor e saltou do carro, dizendo:

— Vamos, saia, e ajude-me a fechar as portas.

Selina sentia-se muito temerosa para rebelar-se. Ela saiu do carro e submergiu as pernas em um metro de água fria e suja, e locomoveu-se em sua direção para ajudá-lo a fechar a desengonçada porta. Conseguiram fechá-la afinal, permanecendo ambos nela exaustivamente recostados até que, por inominável força bruta, George fosse capaz de encaixar a primitiva tranca. Feito isso, pegou Selina pelo punho e a conduziu rapidamente para a Casa Barco, enquanto um outro disforme feixe de poderoso raio feria os céus, seguido do estrondoso ribombar de um trovão tão próximo que Selina pensou que o teto lhes fosse cair sobre a cabeça.

Mesmo dentro da casa, não pareciam estar seguros. Ele foi direto para o terraço e começou a lutar contra a fragilidade do anteparo de portas e janelas, que permaneciam prensadas contra a parede, rendendo-se inermes e impotentes à violência do vento. Os vasos de flores já haviam sido vencidos; uns derrubados do muro do terraço escarpa abaixo, outros no próprio terraço, onde indefesos se despedaçaram, formando agora inúteis ruínas de cacos de barro e de lama esparramada. Quando, finalmente, George conseguiu fechar os batentes e as portas internas, a casa ganhou um aspecto soturno e desconhecido. Tentou acender a luz, mas não havia eletricidade. A chuva, caindo pela chaminé, tinha apagado a lareira, e o poço marulhava, como se fosse transbordar a qualquer momento.

— Estaremos seguros aqui? — perguntou Selina.

— Por que não estaríamos? — devolveu ele.

— Tenho medo de trovões.

— Eles não lhe podem fazer mal.

— Mas os raios podem — ponderou ela.

— Bem, então continue a temê-los.

— Sim, pode apostar que vou.

Selina esperava ingenuamente que George fosse se desculpar por toda aquela situação, mas ele simplesmente tateou o fundo dos bolsos e pegou o ensopado maço de cigarros. Ele o jogou na gotejante lareira, e irrompeu em grande inquietação, mobilizando-se em ânsias de encontrar outro, conseguindo depois de muita procura encontrar um na cozinha. Retirou-lhe um dos cigarros e o acendeu, e em seguida, enquanto lá se detinha, serviu-se um copo de uísque puro. Conduziu-se com o copo até o poço, baixou o balde e o içou completamente cheio, e, com destreza nascida de longa prática, verteu-lhe um pouco da água no copo, sem derramar uma única gota.

— Quer tomar alguma coisa? — perguntou ele.

— Não, obrigada.

Tomou um gole e deteve-se a observá-la, sem que ela soubesse ajuizar se ele estava rindo ou não. Ambos estavam encharcados de tal forma, que pareciam ter entrado numa banheira sem tirar a roupa. Selina havia retirado os sapatos e via-se agora de pé numa crescente poça d'água à medida que a bainha do seu vestido gotejava, trazendo os cabelos umidamente colados ao rosto e ao pescoço. O fato de estarem daquele jeito não parecia incomodar tanto a George Dyer quanto a Selina.

—Suponho que você esteja acostumado com esse tipo de coisa — disse ela, e tentou torcer a bainha do vestido, como se pudesse com tal atitude algo remediar. — Não havia mesmo necessidade disso. Poderíamos nos ter abrigado facilmente em algum lugar até que a tempestade houvesse passado. Rudolfo nos teria permitido...

Ele pôs o copo no móvel com ligeira brusquidão e cruzou o recinto, subindo a escada do mezanino de dois em dois degraus.

—Pegue —disse ele, e arremessou-lhe um pijama. — E tome, use isto se quiser — acrescentou, atirando-lhe um roupão de banho. Selina ouviu o ruído de uma gaveta sendo aberta e fechada em seguida. — Pegue isto também — completou, fornecendo-lhe uma toalha, e entreteve-se de pé com as mãos apoiadas no corrimão da balaustrada, olhando para ela. — Use o banheiro, tire a roupa molhada, tome um banho e vista-se.

Selina moveu-se para pegar as roupas. Enquanto ela abria a porta do banheiro, viu-lhe a camisa molhada deslizar pelo corrimão da escada abaixo, seguida da também ensopada calça jeans. Meteu-se rapidamente banheiro adentro e trancou a porta.

Quando saiu seca e vestindo roupas demasiadamente largas, e com os cabelos recolhidos num turbante formado com a toalha seca, descobriu que o ambiente havia sofrido uma certa metamorfose.

O fogo na lareira ardia intensamente uma vez mais, e

havia três ou quatro velas acesas aqui e ali, sustentadas pelo gargalo de velhas garrafas de vinho. O rádio transistorizado tocava música flamenca, e George Dyer havia não apenas trocado de roupa e se limpado, mas também se havia barbeado. Ele estava usando um suéter branco com gola pólo, e uma calça azul de sarja, e chinelos de couro vermelhos. Sentava-se próximo ao vão da lareira com as costas para o lume, lendo um dos seus jornais ingleses e aparentando tanto relaxamento quanto um cavalheiro em sua casa de campo. Ele ergueu o olhar quando ela retornou do banho.

— Bem, vejo que as coisas melhoraram.

— O que faço com as minhas roupas molhadas?

— Deixe-as no piso do banheiro. Juanita as recolherá amanhã de manhã.

— Quem é Juanita?

— Minha empregada. A irmã de Maria. Sabe quem é Maria? Ela é gerente da mercearia da vila.

— A mãe de Tomeu.

— Então você já conheceu Tomeu.

— Foi ele quem nos trouxe hoje aqui; mostrou o caminho quando veio trazer-lhe os mantimentos de bicicleta.

— Tomeu trouxe um frango numa de suas grandes cestas. Está no forno agora. Venha sentar-se perto da lareira e aquecer-se. Vou lhe servir um drinque.

— Não quero um drinque.

— Você nunca bebe?

— Minha avó nunca me deixou beber.

— Sua avó, se você me permite a expressão, parece ter sido uma velha megera.

Selina sorriu, contendo-se. — Não, ela não era — disse.

George surpreendeu-se com o sorriso. Ainda observando-a, perguntou:

— Em que parte de Londres você mora?

— Queen's Gate.

— Queen's Gate, S.W. 7. Um lugar muito bonito. E suponho que sua babá costumava levá-la para passear em Kensington Gardens?

— Sim.

— Você tem irmãos e irmãs?

— Não.

— Tios e tias?

— Não. Ninguém.

— Não admira que você esteja tão desesperadamente necessitada de um pai.

— Não estou desesperadamente necessitada de um pai. Apenas queria ter um.

George inclinou o copo de uísque e reteve o olhar na âmbar obliqüidade do seu conteúdo. — Sabe, de repente me veio a idéia de que as pessoas a quem... nos afeiçoamos... permanecem vivas em nossas mentes até que um idiota intrometido aparece e diz que elas morreram.

— Já me haviam dito há muito que meu pai tinha morrido — disse Selina.

— Eu sei, mas hoje lhe foi dito pela segunda vez. E desta feita fui eu quem o matou, reafirmando-lhe o fato de sua morte.

— Você não tem culpa.

— Sinto muito, mesmo assim. — E acrescentou, mais gentilmente:

— Você deveria tomar um drinque. Apenas para se aquecer.

Ela meneou a cabeça, e ele não insistiu, mas apesar disso sentiu-se contrafeito. Estava tão acostumado com a convivência com Francis, que servia sozinha a própria bebida, gole após gole, mesmo que ficasse um pouco embriagada no fim da noite, e irascível pelo mais ínfimo motivo; e no dia seguinte tornava a estar lúcida e com os olhos límpidos como sempre, sem se levar em conta o ligeiro tremor das mãos, perceptível assim que estendia o braço para pegar o décimo cigarro da manhã.

Mas esta criança. Ele a fitou. Sua pele era como o marfim, macia, sem manchas. Enquanto continuava a observá-la, ela tirou a toalha da cabeça e começou a esfregar os cabelos para secá-los, descobrindo as orelhas tenras e frágeis como a nuca de uma criança.

— O que nós vamos fazer? — perguntou ela.

— Com relação a quê?

— Para arranjar o dinheiro. Para pagar o Rudolfo, e para que eu volte para Londres.

— Não sei. Preciso pensar ainda numa solução.

— Eu poderia enviar um telegrama para meu banco em Londres, e eles me remeteriam algum dinheiro.

— Sim, você poderia fazer isso.

— Demoraria muito?

— Três ou quatro dias.

— Você não acha que talvez eu devesse me hospedar no Hotel Cala Fuerte?

— Duvido que Rudolfo a aceitaria como hóspede.

—Sabe, na verdade não posso culpá-lo. Mesmo quando sóbrio, Toni era medonho. Bêbado, deve ser realmente pavoroso.

— Duvido que ele tenha assustado Rudolfo.

— Bem... então onde vou ficar?

— Onde mais senão aqui? E dormir na *matrimoniale*. Eu dormirei no *Eclipse*, mas somente quando o tempo melhorar. Não será a primeira vez que dormirei no sofá.

— Se alguém vai dormir no sofá, essa pessoa será eu.

— Como quiser. Para mim tanto faz. Lamento que a Casa Barco não tenha sido mais convenientemente projetada, mas pouco posso fazer para remediar isso agora. Nunca imaginei que teria de hospedar uma filha algum dia.

— Não sou sua filha.

— Digamos então que você seja George Dyer Júnior.

7

Seis anos atrás, quando George Dyer veio morar em Cala Fuerte, Juanita bateu-lhe às portas e anunciou, com grande dignidade, que gostaria de trabalhar para ele. Ela era esposa de um fazendeiro de San Estaban. Tinha quatro filhos, que estudavam na escola da vila, e a pobreza sempre lhes rondava o lar. Precisava do emprego, pois necessitava reforçar o orçamento doméstico, mas não havia nada em sua postura ereta e aprumada que sugerisse a veracidade de sua alegada condição. Para uma mulher de pequena compleição, exibindo nas feições a angulosa, afanosa robustez de uma camponesa trabalhadeira, que tinha olhos escuros e pernas curtas, e abria no rosto um sorriso de grande encanto, apenas envilecido pelos dentes mal cuidados.

Acordava todos os dias às 4h30 da manhã, cuidava dos afazeres domésticos, preparava a comida e alimentava os membros da família e os via partir para o trabalho, caminhando em seguida montanha abaixo, de San Estaban até Cala Fuerte, para se apresentar na Casa Barco às 7h30. Cozinhava e limpava para George, além de lavar e passar-lhe as roupas, escovar o gato e cuidar do jardim, e não se pejava, se surgisse a necessidade, de remar até o *Eclipse* e lavar-lhe o convés.

Quando o *Fiesta em Cala Fuerte* foi publicado, George lhe deu um exemplar de cortesia, com "De George para Juanita, com carinho e respeito" como dedicatória, e talvez tenha sido o livro o objeto mais precioso que havia ganho, depois da cama de casal herdada de sua avó, e dos lençóis de linho, pesados como couro, que ela mesma havia bordado. Não falava inglês e não sabia ler em idioma algum, mas havia arranjado um lugar de destaque para o livro, dispondo-o, como um enfeite, sobre um pano de renda exclusivamente para esse fim. Nunca se permitiu entrar na casa do patrão sem a sua presença. Segundo os princípios de Juanita, isso significava ferir o código da boa etiqueta. Ao invés de entrar, mantinha-se sentada no muro do lado de fora da casa condignamente, com as mãos no colo e as pernas cruzadas na altura do tornozelo, aguardando até que ele chegasse e lhe abrisse a porta, deixando-a entrar. Ele dizia "*Buenos días,* Juanita", e trocavam amenidades sobre o clima, e ela perguntava se o *señor* tinha dormido bem. Ele nunca entendeu a significativa peculiaridade daquele estranho preceito, e não lhe agradava procurar entender. Talvez tivesse algo a ver com o fato de que ele não tinha uma esposa.

Na manhã do dia que se seguiu à tempestade, ele acordou às 7h. Havia dormido no sofá, afinal, pois não teve coragem de lançar mão do conforto da cama para si mesmo. Tudo parecia tranqüilo agora. A ventania havia cessado, e quando se levantou e foi abrir as janelas e sair ao terraço, testemunhou o frescor da manhã renovada e bonançosa, sem uma única nuvem no céu, e o mundo trescalava umidade e perfume depois de banhar-se na chuva, embora as águas do porto ainda estivessem turvas por causa da tempestade, e alguns destroços precisassem ser removidos. Para iniciar a rearrumação das coisas, começou reaprumando os móveis do terraço, que haviam sido ignominiosamente derrubados pelo vento, e tombou um pouco a mesa para escorrer a água da chuva que se lhe acumulara no topo, tornando a entrar em casa em seguida. Acendeu um cigarro e decidiu tomar uma xícara de chá. Não havia, porém, água na chaleira e ele não queria baixar o balde no poço, por receio de acordar Selina. Procurou suas roupas, mas o suéter e a calça que ele usara na noite anterior eram impróprios para um dia de trabalho. Assim, foi até o mezanino para buscar outras. Selina continuava dormindo como uma criança, engolfada pelo pijama de George e pela cama enorme. Movendo-se silenciosamente, pegou a primeira calça e camisa que lhe vieram às mãos, e desceu as escadas da mesma forma que se conduziu no quarto. Tomou um banho (a água estava um gelo depois da tempestade), vestiu-se, e depois foi abrir a porta para Juanita. Ela ainda não havia chegado, mas se encontrasse a porta aberta, entraria e preparar-lhe-ia o café da manhã. Em seguida, voltou a sair ao terraço, desceu a escada que conduzia até a rampa do estaleiro, arrastou o bote para a água e remou em direção ao *Eclipse*.

O iate parecia ter resistido bem à tempestade, como sempre. Examinou as amarras, e em seguida subiu a bordo. Com um certo espírito de prevenção, havia fixado uma coberta de lona sobre a cabina, e embora ela houvesse descaído em alguns pontos sob o peso da água da chuva, o recinto permanecia relativamente seco. Afrouxou algumas adriças retesadas, e desceu até o pavimento inferior para certificar-se de que as escotilhas da proa não haviam permitido a entrada da água. Convencido das boas condições do barco, voltou para a cabina, acomodou-se na braçola e acendeu um cigarro.

Ia ser um dia muito quente. O vapor já se elevava do convés molhado pela água da chuva, e também da lona que ele tinha estendido para secar ao sol. O ar estava tão límpido que ele podia enxergar grandes extensões de terra litoral adentro, bem além do cruzeiro de San Estaban; e a bonança era tanta que quando um pescador, atarefado em seu barco, conversava a meia-voz com um colega, George pôde ouvir cada palavra que ele dizia. A água quase não se movia. O bote balançava suavemente sob o influxo de doce marulho, banqueando a proa gentilmente de encontro às águas do mar imenso, enquanto o iate arfava alternadamente na proa e na popa, como se estivesse respirando.

Revigorado pela paisagem, pelos odores e sons familiares, George começou a se sentir relaxar. Podia, agora, tranqüilamente, meditar no dia que iria ter pela frente, e ordenar a prioridade dos problemas que o acometiam.

O primeiro deles era Rudolfo. George havia esquecido a discussão; não foi a primeira e não seria a última. Rudolfo não era um homem rico, e de alguma forma, e o mais cedo possível, as seiscentas pesetas teriam de ser ressarcidas. George não podia contar com a eficiência do banco em Barcelona para efetuar logo a compensação dos cheques. Já havia acontecido atrasos anteriormente, e em certa ocasião teve de esperar quase um mês antes de obter a liberação do dinheiro para a sua conta. Se, no entanto, eles enviassem um telegrama para o banco de Selina, haveria a possibilidade de o dinheiro estar disponível em San Antonio em três ou quatro dias, e Rudolfo, sabendo disso, teria toda a satisfação em hospedá-la em seu hotel, e desse modo as convenções sociais seriam respeitadas, e nenhuma sutileza de sentimentos, tão vulnerável em Cala Fuerte, seria violada.

Por outro lado, havia Francis. Ela lhe emprestaria as seiscentas pesetas e o dinheiro para comprar a passagem aérea de Selina se ele conseguisse reunir coragem para pedir-lhe tal favor. Mas, na verdade, as coisas com Francis eram negócios de um lado e amizades à parte. E se ele lhe contraísse o débito, não seria em nome de Rudolfo, nem um obséquio para uma desafortunada mocinha que veio à procura de seu pai, mas seria por sua própria conta e risco, e somente ele estaria obrigado a saldar a dívida.

Uma certa movimentação na Casa Barco passou-lhe sobre as vistas, e ele alçou o olhar e viu Juanita ocupando-se no terraço, pendurando o cobertor vermelho e branco no varal para arejá-lo. Ela estava usando um vestido rosa e um avental marrom, e tornou a entrar na casa, reaparecendo em seguida com uma vassoura na mão, e começou a varrer os detritos dos vasos de flores quebrados pela tempestade da noite anterior.

George se perguntava como iria explicar a presença de Selina em sua cama. Sempre teve muito cuidado para que não se deixasse surpreender como o centro de uma situação tão delicada e sugestiva como aquela, e no que dizia respeito a Juanita, não tinha a mínima idéia de como ela reagiria. Não lhe agradava a injunção de ter de mentir para ela, mas por outro lado não queria perdê-la, por qualquer razão que fosse. Ele poderia dizer-lhe a verdade, mas tudo aquilo era tão implausível que ele duvidava fosse a humilde Juanita acreditar em sua história. Ele também poderia alegar que Selina era uma prima em férias, que tivera de passar a noite em sua casa por causa da tempestade.

Depois de muito deliberar, decidiu que a história da prima seria o melhor argumento para justificar a presença de Selina, além da vantagem adicional de ser a história que mais se aproximava da verdade. Desfez-se do cigarro, atirando-o ao mar, desceu para o bote e remou calmamente de volta para a Casa Barco.

Juanita estava na cozinha, esquentando a água para preparar-lhe café.

— *Buenos días,* Juanita.

Ela virou-se, abrindo-lhe largo sorriso.

— *Buenos días, señor.*

Pondo os rodeios de lado, decidiu ir direto ao assunto.

— Você acordou a *señorita* quando retirou água do poço?

— Não, *señor,* ela continua dormindo como um bebê.

George cravou-lhe um olhar penetrante.

Juanita trazia o tom de voz modulado em ondas de canoro lirismo, seus olhos dardejando cintilações de puro sentimento. Não era exatamente o que George esperava. Nem mesmo teve tempo de contar sua história da prima que veio visitar, e lá estava Juanita com os olhos marejados... mas por que razão?

— Você... já esteve lá em cima... e a viu então...?

— *Sí, señor,* fui ver se ela estava acordada. Mas, *señor* — seu tom de voz havia descaído para modulações de amistosa admoestação — por que nunca me disse que tinha filha?

George levou uma das mãos para trás, procurando em vão o braço do sofá, mas conseguindo, eventualmente, sentar-se. — Eu nunca lhe disse? — balbuciou ele, surpreso.

— Não, o *señor* nunca disse uma única palavra a respeito de sua filha. E quando Maria me contou, esta manhã, assim que passei pela mercearia, que a filha do *señor* estava hospedada na Casa Barco, não acreditei. Mas agora vejo que é verdade.

George engoliu em seco, e disse, com forçada serenidade:

— Maria lhe contou. E quem contou a Maria?

— Tomeu.

— Tomeu?

— *Sí, señor*. Ele disse que um motorista de táxi a havia trazido. Ele passou várias horas no bar de Rudolfo, e disse a Rosita, que trabalha lá, que ele havia levado a filha do *señor* Dyer para a Casa Barco em seu táxi. Rosita contou a Tomeu quando ela foi comprar um pouco de sabão em pó, Tomeu disse a Maria, que disse a Juanita.

— E o resto da vila, aposto — murmurou, em inglês, e xingou Selina silenciosamente.

— *Señor*?

— Não é nada, Juanita.

— O *señor* não está contente por receber a visita de sua filha?

— Sim, claro.

— Não sabia que o *señor* havia sido casado.

George pensou alguns instantes e em seguida disse:

— Sua mãe é falecida.

Juanita sentiu-se assaltar de grande abalo. — *Señor*..., eu não sabia. E quem vem cuidando da *señorita*?

— Sua avó — disse George, perguntando-se por quanto ainda conseguiria furtar-se de dizer a verdade. — Diga-me, Juanita... Rudolfo sabe que... a *señorita* é minha filha?

— Ainda não estive com Rudolfo, *señor.*

A chaleira apitou, e, depois de fazer o café, ela encheu

a caneca de fiança que George lhe recomendara usar para lhe servir café. O aroma era delicioso, mas não bastou para o despertar do entorpecimento que a surpresa dos fatos envolvendo a ele e Selina lhe causaram. Juanita tampou o bule e disse:

— *Señor,* ela é muito bonita.

— Bonita? — disse, emprestando à voz crescente espanto, e realmente estava admirado com o rumo dos fatos.

— Mas claro que ela é bonita. — Passou por ele com a bandeja de café na mão, encaminhando-se para o terraço. — O *señor* não precisa fingir para mim.

George iniciou o desjejum. Uma laranja, uma *ensamada* doce e tomou tanto café quanto o bule podia conter. Juanita movia-se atarefadamente pela casa, pisando suavemente e produzindo brandos ruídos basculhantes, evidenciando que estava se ocupando com a varredura diária da casa. Pouco tempo depois, apareceu com o cesto de roupa suja, cheio até a borda.

— A *señorita* se molhou muito ontem à noite, na chuva, e eu lhe disse para deixar as roupas molhadas no piso do banheiro.

— *Sí, señor,* eu já as recolhi.

— Lave-as e passe-as tão rapidamente quanto puder, Juanita. Ela não tem mais nada para vestir.

— *Sí, señor.*

Juanita passou por ele e desceu a escada que levava até a sua diminuta lavanderia, onde esfregava lençóis, meias e camisas imparcialmente, fervendo água numa enorme tina e usando uma barra de sabão tão grande e tão dura quanto um tijolo.

A primeira coisa a fazer era procurar Rudolfo. Enquanto cruzava o interior da casa, ergueu o olhar em direção ao mezanino, mas não ouviu nenhum movimento e nenhum ruído. Praguejou contra a hóspede silenciosamente, mas a deixou continuar dormindo, e saiu. Porque não queria dar-se o trabalho de abrir as portas da garagem e fazer o motor do carro pegar, começou a se dirigir a pé para a vila.

Mas iria arrepender-se disso. Pois, antes de chegar ao Hotel Cala Fuerte, nada menos do que sete pessoas já o haviam parabenizado por ter recebido a filha para passar alguns dias com ele. À medida que recolhia os cumprimentos, George aumentava o ritmo da caminhada, como se fosse, a cada encontro, incumbido de afazeres de urgente natureza, tentando passar a impressão de que por mais que desejasse parar e falar sobre uma ocasião tão felicitante e especial, simplesmente não tinha tempo para isso. Conseqüentemente, chegou ao bar de Rudolfo com falta de ar e ensopado de suor, e se sentindo como se tivesse sido pego numa armadilha. Deteve-se de pé na soleira da porta cortinada, ofegante de exaustão, e perguntou:

— Rudolfo, posso entrar?

Rudolfo estava atrás do balcão do bar, polindo copos. Quando viu George, suas mãos se detiveram. Aos poucos, esboçou no semblante largo sorriso. Pôs de lado o copo que polia e saiu do balcão do bar, fazendo um gesto de quem iria abraçar George.

George o fitou desconfiadamente. — Você não vai me agredir, vai...?

— É você quem deveria me agredir. Infelizmente, eu não sabia. Soube somente esta manhã, por intermédio de Rosita, que a *señorita* era sua filha. Por que você não me disse ontem à noite? Que ela era sua linda criança? Jamais passou pela cabeça que você tivesse uma filha. E uma filha tão linda...

— Rudolfo, houve um equívoco...

— Sim, o equívoco foi meu. E que tipo de homem você deve ter pensado que eu era, ao ter relutado em ajudar um velho amigo e sua filha?

— Mas...

Rudolfo ergueu uma das mãos. — Nada de mas nem meio mas. Seiscentas pesetas, bem — ele deu de ombros —, não nascem em árvores, mas não vão me levar à falência.

— Rudolfo...

— Caro amigo, se você disser mais alguma coisa, começarei a pensar que você não me perdoou. Venha, tomemos um trago juntos. — Um conhaque...

Era impossível. Ele não se deixava ouvir a verdade e George não a iria meter-lhe pela garganta abaixo. — Prefiro tomar um café — disse, e Rudolfo retirou-se para providenciar um, enquanto George empoleirava-se num dos banquinhos do bar e acendia um cigarro. Quando Rudolfo retornou, George falou:

— Você terá o seu dinheiro de volta. Vamos enviar um telegrama para Londres...

— Você precisará ir até San Antonio para fazê-lo.

— Sem problema. Quanto tempo você acha que o dinheiro levará para chegar aqui?

Rudolfo deu de ombros enfaticamente. — Dois ou três dias. Isso não importa. Posso esperar uma semana por seiscentas pesetas.

— Você é uma boa pessoa, Rudolfo.

— Mas às vezes me aborreço. Você sabe que me aborreço.

— Mesmo assim, é uma boa pessoa.

O café veio, trazido por Rosita, o inconsciente foco de toda a questão. George a observou pôr no balcão as minúsculas xícaras, enquanto dizia consigo mesmo que estava mais contrariado do que nunca. Atinou, com ligeiro desânimo, que não havia como pedir um segundo favor a Rudolfo. Estando assente na idéia de todos que Selina era sua filha, não havia razão para que viesse hospedar-se no Hotel Cala Fuerte.

Foi Perla quem acordou Selina. Estivera fora a noite inteira, e estava cansada de caçar, necessitando agora de um lugar para descansar. Entrou na Casa Barco pelo terraço, subiu suave e felinamente a escada do mezanino, e saltou, num silêncio de gato, para cima da cama. Selina descerrou os olhos e se deparou diretamente com o branco, bigodudo focinho de Perla. Os olhos da gata eram verde-jade, as pupilas escuras, meros filetes de contentamento. A gata espezinhou as cobertas por alguns instantes, preparando a cama, e em seguida aconchegou seu corpo peludo e macio nas curvas da preguiça de Selina, e tratou de dormir. Selina virou-se para o lado e fez a mesma coisa.

Na segunda vez, foi acordada com certa rispidez. — Vamos, acorde, já é hora de acordar. São 11h. Vamos, acorde. — Estava sendo sacudida, e quando abriu os olhos, George estava sentado à beira de um dos lados da cama. — Já deveria estar acordada — insistiu ele.

— Umm? — A gata ainda estava lá, um peso delicioso e aquecedor. George, ao cair-lhe sob a focagem dos olhos estremunhados, pareceu-lhe enorme. Ele estava usando uma camisa de algodão azul e trazia o semblante carrancudo. Selina sentiu-se visitar por ligeiro desânimo. Seu humor nunca se compadecia das primeiras horas da manhã.

— Você já deveria ter acordado.

— Que horas são?

— Já lhe disse. Quase onze. Preciso conversar com você.

— Oh. — Sentou-se, guindando-se pelos cotovelos, e procurou os esquivos travesseiros, que haviam fugido. George começou a recolhê-los do assoalho e meteu-os atrás das costas dela, para lhe servir de apoio. — Agora, escute — disse ele. — Estive falando com Rudolfo...

— Ele ainda está aborrecido?

— Não, não está mais. Mas, veja bem, Rudolfo, e aliás a vila inteira, está pensando que você é realmente minha filha. Você sabe por que eles acreditam nisso, não sabe? Porque o seu motorista beberrão — maldita seja a língua dele — lhes disse que você era minha filha.

— Oh — disse Selina.

— Sim. Oh. Você *disse* ao motorista que eu era seu pai?

— Sim — admitiu ela.

— Por Deus, por quê?

— Eu precisava fazê-lo trazer-me até aqui. Eu disse: "Meu pai pagará a passagem", e isso foi a única coisa que o persuadiu.

— Você não tinha o direito de fazer isso. De envolver uma pessoa inocente...

— Você?

— Sim, eu. Agora estou enfiado nisso até o pescoço.

— Nunca imaginei que ele pudesse contar à vila inteira.

— Ele não contou à vila inteira. Bastou que apenas o fizesse a Rosita, que trabalha no bar de Rudolfo. E Rosita disse a Tomeu. E Tomeu disse à sua mãe. E Maria, sua mãe, é a estação receptora e retransmissora oficial desta parte da ilha.

— Entendo — disse Selina. — Sinto muito. Mas não lhes poderíamos dizer a verdade?

— Agora não podemos mais.

— Por que agora não?

— Porque as pessoas daqui... — escolheu cuidadosamente as palavras — têm padrões morais muito rígidos.

— Então por que você deixou que eu ficasse aqui na noite passada?

George exasperou-se. — Por causa da tempestade. Por causa da discussão com Rudolfo. Porque não havia alternativa.

— E você disse que eu sou sua filha?

— Só não disse que você não era.

— Mas você tem relativamente pouca idade para ser meu pai. Você mesmo ponderou isso na noite passada.

— Ninguém mais precisa saber disso.

— Mas não é verdade.

— Já não era verdade quando você disse ao motorista.

— Sim, mas eu não sabia que não era verdade!

— E eu sabia. Não é isso? Bem, sinto muito se os seus princípios foram ofendidos, mas essas pessoas são meus amigos e eu não quero desiludi-las. Não que elas tenham quaisquer ilusões a meu respeito, mas pelo menos não pensam que eu sou um mentiroso.

Selina ainda parecia confusa. Em razão disso, ele resolveu mudar de assunto. — Agora, tratemos da questão do dinheiro. Você disse que poderíamos enviar um cabograma para o seu banco...

— Sim.

— Mas não de Cala Fuerte. Precisamos ir até San Antonio para tanto. Poderíamos ou enviar um cabograma diretamente para o seu banco, ou — ocorreu-me quando voltava para casa — entrar em contato com o seu advogado...

— Oh, não — disse Selina subitamente, com tal veemência que George ergueu os sobrolhos de surpresa.

— Por que não?

— Enviemos apenas o cabograma ao banco.

— Mas o seu advogado poderia providenciar para que o dinheiro nos chegasse às mãos bem mais rapidamente.

— Não quero enviar um cabograma para Rodney.

— Você não gosta dele?

— Não é isso. É que... bem, ele achou que esse negócio de vir procurar o meu pai era uma loucura.

— Julgando-se pelo que tem acontecido, ele não estava enganado.

— Não quero que ele saiba que tudo foi um grande fiasco. Tente entender.

— Bem, claro que eu entendo, mas se pudéssemos com isso ter o dinheiro em mãos mais rapidamente... — O semblante de Selina denunciava a solidez de seus propósitos, e George, farto de toda a questão, desistiu de tentar persuadi-la. — Bem, está certo. É o seu dinheiro e o seu tempo de que tratamos. E de sua reputação.

Selina ignorou-lhe as últimas palavras. — Você quer ir a San Antonio hoje?

— Tão logo você se levante e se vista. Você está com fome?

— Não muito.

— Que tal uma xícara de café?

— Se já houver algum pronto.

— Vou providenciar.

Ele já estava na metade da escada quando Selina o chamou.

— Sr. Dyer...

George virou-se, com a cabeça apenas parcialmente visível.

— Eu não tenho nada para vestir — disse Selina.

— Falarei com Juanita.

Ele encontrou a empregada no terraço, passando roupa, com o fio do ferro saindo pela janela.

— Juanita.

— *Señor.*

— As coisas da *señorita*? Estão prontas?

— *Sí, señor.* — Sorriu largamente, satisfeita com sua própria eficiência, e lhe entregou uma pilha de roupas caprichosamente cuidada.

Ele lhe agradeceu e tornou a entrar na casa, encontrando Selina descendo a escada do mezanino. Ainda de pijama, estava despenteada e sonolenta. — Tome — disse ele — e lhe passou a rima de roupas.

— Oh, que maravilha! — exclamou Selina.

— Apenas um dos muitos serviços deste hotel.

— Ela foi tão rápida... nunca pensei... — emudeceu, detendo o verbo com reticências de grande espanto. George carregou o semblante. Selina tirou o vestido do topo da pilha de roupas. Ou o que restou dele. Juanita tratou a fina lã inglesa do mesmo modo que tratava o restante de suas roupas: com água quente, sabão em pedra e muita esfregação. Selina segurou o vestido com os braços estendidos para a frente. Caberia agora muito bem numa criança de 6 anos e de compleição bem pequena. A única coisa que o tornava reconhecível era a etiqueta de seda da *Fortnum and Mason* no lado de dentro da gola.

Fez-se um longo silêncio. Então, George disse:

— É agora um pequeno vestido marrom.

— Ela o lavou! Por que ela o lavou? Não precisava ter sido lavado; estava apenas molhado...

— Se há que culpar alguém, esse alguém sou eu. Eu disse a Juanita para lavá-lo, e se eu digo a Juanita para fazer algo, ela certamente o fará. — Ele começou a rir.

— Não acho que haja motivo para risos. É muito bonito você ficar aí arreganhando os dentes, mas o que vou vestir?

— Mas o que fazer senão rir?

— E se eu chorasse?

— Isso não adiantaria nada.

— Não posso ficar de pijama o dia inteiro.

— Por que não? É muito charmoso.

— Não posso ir a San Antonio de pijama.

Sentindo ainda enorme gozo, mas tentando ser razoável, George coçou a parte de trás da cabeça. — Por que não veste o seu casaco?

— Eu morreria de calor. Oh, por que todas essas coisas horríveis têm de acontecer?

Ele tentou acalmá-la. — Olhe aqui...

— Não, não olho!

Era o exemplo típico da insensatez tentar discutir com uma mulher, e George perdeu a paciência.

— Tudo bem. Então não olhe. Vá e pule em cima da cama e chore o resto do dia, mas antes de fazê-lo, ajude-me a redigir o cabograma para enviar ao banco. Irei a San Antonio sozinho, e você pode ficar aí e embirrar.

— Isso é a coisa mais horrível, injusta que se pode dizer a uma pessoa...

— Está bem, filhinha, é horrível. Talvez eu diga coisas

horríveis por ser uma pessoa horrível. Que bom que você tenha descoberto isso a tempo. Agora, venha, sente-se e ponha esse seu cérebro de passarinho para funcionar e ajude-me a redigir o cabograma.

— Eu não tenho cérebro de passarinho — defendeu-se Selina. — E mesmo que tivesse, você não me conhece o bastante para sabê-lo. Tudo o que estou dizendo é que não posso andar por aí com roupas íntimas o dia inteiro...

— Olhe, isto aqui é Cala Fuerte, San Antonio, e não Queen's Gate, S.W. 7. Eu, particularmente, não me importo que você fique até mesmo completamente nua, mas prefiro botar as mãos naquele dinheiro tão cedo quanto possível, e devolvê-la, embrulhadinha, por assim dizer, a Kensinton Gardens e à babá. — Ele estivera junto à escrivaninha, ocupando os olhos com a procura de uma folha de papel em branco e um lápis, mas agora tinha o olhar erguido na direção de Selina, mirando-a indecifráveis olhos castanhos, e disse:

— Se você tivesse mais idade e mais experiência, acho que já teria esbofeteado a minha cara a essa altura.

Selina disse consigo mesma que se chorasse, de raiva ou por qualquer outra razão, nunca se perdoaria. — A idéia nunca me passou pela cabeça — disse, num tom de voz ligeiramente trêmulo.

— Ótimo. Nunca deixe que isso aconteça. — Ele sentou-se à escrivaninha e pegou a folha de papel. — Agora, diga-me o nome do seu banco...

8

Depois de ausentar-se da serena, frondosa, sombreada ambiência de Cala Fuerte, San Antonio afigurava-se-lhe quente, poeirenta e tumultuada. As ruas abarrotavam-se de intenso tráfego. Carros buzinando, lambretas imprevisíveis, carroças caipiras e bicicletas proletárias. As estreitas calçadas estavam tão cheias que os passantes, despreocupados da vida, concorriam com o trânsito dos automóveis, e George descobriu que era impossível avançar um metro sem bater com a palma da mão na buzina quase que interruptamente.

O banco e a seção dos correios onde iria passar o cabograma situavam-se ambos na principal praça da cidade, cada qual descansando um em frente do outro em alicerces de dormente burocracia, resguardados pelo vegetal sombreado das árvores que guarneciam a beira da calçada em torno da praça, e pelo frescor de chafarizes. George estacionou o carro à sombra de uma das árvores, acendeu um cigarro, e foi, primeiramente, ao banco, para ver se por acaso o seu dinheiro havia sido liberado pelo outro banco em Barcelona. Se isso já tivesse acontecido, tinha a intenção de sacar tudo em espécie, rasgar o telegrama que haviam redigido, e seguir diretamente para o aeroporto e comprar a passagem de Selina de volta para Londres.

Mas o dinheiro ainda não estava disponível. O caixa perguntou gentilmente se George não gostaria de se sentar e aguardar talvez cinco ou seis horas, pois esforçar-se-ia por estabelecer contato com Barcelona e tentaria descobrir o que havia acontecido. George, atento, com educada ironia, à sábia e paliativa eficiência do funcionário, perguntou-lhe por que esperaria cinco ou seis horas, apenas para ser eventualmente informado de que o telefone não funcionava e que não o tinham ainda conseguido consertar.

Embora já estivesse morando na ilha havia seis anos, às vezes se detinha indeciso entre a exasperação e o bom humor diante da atitude dos ilhéus com relação à idéia de tempo, mas afinal disse consigo mesmo que não havia problema; arranjar-se-ia sem o dinheiro. Retirou-se do banco, atravessou a praça e subiu as imponentes escadas que conduziam aos altivos salões da agência dos correios e telégrafos decorados com mármore.

Ele copiou a mensagem a ser telegrafada no formulário oficial do estabelecimento público, e em seguida entrou na fila, que se arrastava morosamente. Quando finalmente alcançou o guichê gradeado e chegou a sua vez de ser atendido, sua paciência já havia atingido o limite. O atendente atrás do guichê era completamente calvo, com o escalpo lustroso e bronzeado, tinha uma verruga no nariz e não falava uma única palavra de inglês. Levou um longo tempo lendo a mensagem, contando as palavras e consultando manuais. Eventualmente, carimbou o formulário e disse a George que lhe custaria noventa e cinco pesetas.

George lhe pagou. — Quando chegará a Londres?

O homem deu uma olhadela no relógio. — Hoje à noite... talvez.

— Você o enviará agora?

O atendente do nariz verruguento não quis se dar ao trabalho de responder. Lançou o olhar por sobre os ombros de George, e disse:

— O próximo, por gentileza.

Não havia mais nada a fazer. Saiu do estabelecimento, acendeu um cigarro e monologou sobre o que fazer em seguida. Por fim, decidiu que seria oportuno ir ao Iate Clube pegar a correspondência, mas sem o carro. Pôs-se a caminhar.

A multidão o fazia sentir-se claustrofóbico. Atarantava-se pela extensão das ruas, recuava ou desviava-se para o lado com um ou dois passos de quando em vez, para resgatar-se do avanço do tráfego. Acima, em exíguas sacadas, esprimia-se a abundância de humanas manifestações. Enormes, gordas vovós vestidas de lutuoso negro ocupavam-se com o bordado, banhando-se ao sol da primavera. Bandos de crianças, seus olhos como os bagos de negras uvas, espiavam a movimentação da vida através de férreos e rendilhados gradis, e as roupas lavadas pendiam ziguezagueantes e festivas de um lado a outro da rua, suspensas pela verticalidade das edificações, como se fossem bandeirolas e comemorativos galhardetes, e sobre todos os elementos de semelhante urbanidade pairava o cheiro de San Antonio. Um cheiro de peixes e de esgotos, de cedro e dos cigarros Ideales, realçados pelo indistintos cheiros do cais do porto e das olorosas emanações que se evolavam do mar.

Aproximou-se de uma pequena encruzilhada e deteve-se à beira da calçada, aguardando até que se fizesse uma brecha no fluxo do tráfego intenso para que pudesse atravessar. Um senhor aleijado vendia bilhetes de loteria numa pequena barraca, e na esquina do quarteirão havia uma loja, a vitrine repleta de blusas bordadas e de vestidos de algodão, chapéus de praia, sapatos e roupas de banho.

George lembrou-se de Selina. Disse consigo mesmo que não via a hora de embarcá-la no avião com destino a Londres, e livrar-se dela, mas ela não poderia viajar se não tivesse algo para vestir. Pensou em comprar-lhe um vestido. Mas no exato instante em que cruzou a porta da loja, sentiu-se visitar por uma outra e divertida idéia.

— *Buenos días, señor* — disse uma mulher de cabelos ruivos, saindo de um pequeno balcão de vidro.

— *Buenos días* — respondeu George, e, tentando manter-se sério, disse à mulher o que queria.

Cinco minutos depois, estava de volta ao tumultuoso movimento das ruas, portando uma pequena caixa caprichosamente embalada num papel com listras rosas e brancas. Ainda sorria consigo mesmo, quando a buzina de um carro soou-lhe ruidosamente por trás das orelhas. Praguejou e saltou para o lado, e a longa e negra frente de um Citröen roçou-lhe os fundos da calça, e parou.

— Ei — disse uma voz inconfundível. — Veja só quem acabou de chegar à cidade.

Era Francis. Manteve-se sentada em seu conversível, revelando surpresa e satisfação por revê-lo. Usava óculos de sol e um chapéu de palha masculino caindo sobre a testa e uma camisa rosa desbotada. Estendeu o braço para abrir-lhe a porta. — Entre que eu o levarei onde pretende ir.

George acomodou-se ao lado dela. O assento de couro estava tão quente que se sentiu assando, e nem mesmo havia fechado a porta ainda, quando Francis avançou com o carro, lentamente, vencendo a multidão.

— Não esperava que retornasse à cidade tão cedo assim — disse ela.

— Não pensei que seria necessário.

— Há quanto tempo você está aqui?

— Há meia hora aproximadamente. Precisei enviar um cabograma.

Francis não o fez estender-se sobre esse detalhe. Um outro grupo de pedestres surgiu-lhes à frente. Gordas senhoras trajando vestidos de algodão e casacos de lã brancos, e novíssimos chapéus de palha, trazendo os rostos dolorosamente queimados, talvez por desconhecerem a poderosa força dos raios solares daquelas latitudes. Francis uma vez mais soou ruidosamente a buzina, e elas olharam na direção do carro, surpresas, tirando o olhar dos cartões postais que estavam comprando, e recuaram cordialmente para cima da já superlotada calçada.

— De onde, raios, elas saíram? — quis saber George.

— De um transatlântico que acabou de aportar. O primeiro da temporada.

— Oh, Deus, já vai começar tudo de novo.

Francis deu de ombros. — Temos de procurar fazer o melhor que pudermos com relação a isso. Pelo menos eles trazem dinheiro para a cidade. — Ela relanceou o olhar pela pequena caixa no colo de George. — O que você comprou na loja de Teresa?

— Como você sabe que o comprei lá?

— Por causa do papel com listras rosas e brancas. Estou curiosa.

George pensou por alguns instantes. — São lenços — afirmou ele.

—Não sabia que você os usava. —Haviam alcançado a principal rua da cidade, uma artéria de tráfego controlada por um membro nada exemplar da *Guardia Civil.* —Francis reduziu a velocidade, engatando a segunda marcha do reluzente Citröen, e perguntou:

—Onde você quer ir?

—Acho que deve haver alguma correspondência no Iate Clube.

—Você não a pegou ontem?

—Sim, mas é provável que tenha chegado mais.

Ela o olhou de soslaio. —Você chegou bem em casa?

—Claro.

—Tudo bem com o barco?

—Sim, em perfeito estado. Você pegou aquela segunda tempestade de ontem à noite?

—Não. Não vim para essas bandas.

—Que sorte. Foi terrível.

Detiveram-se no sinal até que a luz vermelha mudasse para a verde, e então Francis entrou numa rua estreita e saiu na larga avenida do cais do porto. Era a parte de San Antonio de que George mais gostava. Cheia de pequenos e animados bares de frente para o mar, e de lojas de barcos e artigos náuticos, do cheiro de alcatrão, de grãos e de parafina. Havia no porto muitos barcos ancorados. Escunas, iates, o barco que vinha semanalmente de Barcelona, reabastecendo-se de combustível para zarpar em seguida, e o transatlântico, procedente de Bremen, ancorado no cais do norte.

George avistou um iate desconhecido, no porto desde o dia anterior. — Traz num dos mastros uma bandeira da Holanda — disse ele.

—Uma jovem tripulação chamada de Van Trikker, navegando ao redor do mundo. — Francis havia feito questão de saber tais detalhes.

— Passando pelo Mediterrâneo?

— Por que não? Foi para isso que fizeram o Canal de Suez.

Ele sorriu. Francis inclinou-se e pegou um maço de cigarros no compartimento próximo ao banco do carona e o passou para George. Ele o pegou e acendeu um para ele e outro para ela. Quando chegaram ao Iate Clube, ele entrou para pegar a correspondência, e Francis permaneceu no carro, aguardando-o. Ao retornar, com duas cartas enfiadas no bolso de trás da calça, ela perguntou:

— Para onde agora?

— Vou tomar um drinque.

— Vou com você.

— Você não deveria estar vendendo a originalidade artística de Olaf Svensen a todos esses adoráveis turistas?

— Tenho uma jovem estudante trabalhando para mim. Ela sabe como cuidar dos alemães. — Virou o carro ao contrário numa única manobra. — Quanto a mim, prefiro muito mais cuidar de você.

Foram para o bar do Pedro, situado a pouca distância na avenida adiante. Pedro tinha colocado algumas mesas e cadeiras na ampla calçada, e lá se sentaram à sombra de uma árvore. George pediu uma cerveja, e para Francis um conhaque.

— Querido, de uma hora para outra você parece ter-se tornado abstêmio.

— Minha sede é genuína.

— Só espero que não seja tão sacrificante.

Ela levou-lhe uma das mãos às costas, para pegar as

cartas que ele havia enfiado no bolso traseiro das calças, e as pôs na mesa, diante das vistas de George, e disse:

— Abra-as.

— Por quê?

— Porque estou curiosa. Gosto de conhecer o teor das cartas, especialmente o das de outras pessoas. Não gosto de vê-las envelhecer graciosamente invioladas, como velhas senhoras bem educadas. Tome... — Ela pegou uma faca de sobre a mal posta mesa e cortou-lhe os frisos das dobras das abas, depois de enfiar-lhes a ponta do objeto cortante nas folgas dos ângulos mal colados. — Agora, tudo o que você tem a fazer é retirá-las do envelope e lê-las.

Para satisfazer-lhe a vontade, George assim procedeu. O primeiro envelope continha uma carta enviada por uma revista náutica informando-lhe que pagaria a quantia de oito libras e dez xelins por um artigo que ele havia escrito para a revista.

George passou a carta para Francis e ela a leu, dizendo em seguida:

— Viu, lembra-se do que eu lhe tinha dito? Boas notícias.

— Melhor do que nada. — Ele pegou a segunda carta.

— Sobre o que foi o artigo?

— Maquinismos de autonavegação.

Ela o parabenizou com leves tapinhas nas costas. — Ei, não é que você é um sujeito inteligente... E essa outra, de quem é?

Era do seu editor, mas ele estava lendo a carta, e não ouviu a pergunta.

George Dyer
Clube Náutico
San Antonio
Baleares
Espanha

Prezado Senhor:

Escrevi-lhe não menos do que cinco cartas nesses últimos quatro meses, na esperança de que V. S^{a}. fosse dignificar-se a nos submeter para análise pelo menos uma sinopse do seu segundo livro, como seqüência de *Fiesta em Cala Fuerte*. Não obtive a resposta de nenhuma delas. Todas as minhas cartas foram enviadas para o Clube Náutico de San Antonio. Assim, estive perguntando-me se talvez a sua caixa postal não seja mais nesse local.

Conforme eu havia salientado antes de selarmos o contrato para a publicação de *Fiesta em Cala Fuerte*, a continuidade do trabalho é necessária se desejarmos manter o interesse do público por V. S^{a}. como escritor. *Cala Fuerte* vendeu bem e já está novamente no prelo para o lançamento da segunda edição. Além disso, negociações estão sendo encaminhadas para sua publicação em forma de brochura; mas precisamos que V. S^{a}. nos escreva um segundo livro se não quisermos que as vendas do primeiro livro despenquem.

É lamentável que não nos tenha sido possível conhecer pessoalmente e discutir o assunto, mas acho que deixei bem claro quando acordamos a respeito da publicação de *Fiesta em Cala Fuerte* que somente poderíamos fazê-lo sob a condição de que ele seria o primeiro de uma série, e tive então a impressão de que V. Sª. havia entendido isso.

De qualquer forma, ficaria muito grato em receber a resposta desta carta.

Cordialmente,

ARTHUR RUTLAND.

George leu a carta duas vezes e depois a atirou sobre a mesa. O garçom havia trazido os drinques, e a cerveja estava tão gelada que embaciou o longo copo. Quando George o pegou, sentiu a mão queimar de frio, como se houvesse agarrado um pedaço de gelo.

— Quem a enviou?

— Leia.

— Não gostaria de lê-la se você não quisesse.

— Oh, leia a carta.

Ela leu, e ele se distraiu com a cerveja.

Depois de ler as últimas linhas, disse:

— Bem, acho que é uma senhora carta. Mas quem ele pensa que é?

— Meu editor.

— Por Deus, você não tem o amparo de um contrato?

— Os editores não gostam de escritores de um livro só, Francis. Com eles é tudo ou nada. Ou não publicam nada, ou publicam uma longa série de livros.

— Ele já lhe havia escrito antes?

— Sim, claro que havia. Está no meu calo há quatro ou cinco meses. É por isso que deixei de abrir as cartas.

— Você *tentou* escrever um segundo livro?

— Se tentei? Esfolei o cérebro de tanto tentar. Sobre que raio de assunto eu poderia escrever o segundo livro? Somente escrevi o primeiro porque percebi que estava começando a ficar sem dinheiro, e estava atravessando um longo e rigoroso inverno. Nunca pensei que ele seria publicado.

— Mas você é uma pessoa que já viajou muito, George... Você fez tantas coisas diferentes. E aquela viagem pelo Mar Egeu...?

— Você acha que eu não tentei escrever sobre isso? Passei três semanas com o nariz colado na máquina de escrever, tentando arrancar uma história daquelas teclas, e o máximo que consegui foi algo tão enfadonho de se ler quanto tinha sido escrever. De qualquer forma, já escreveram sobre esse assunto. Tudo parece já ter sido feito antes.

Francis deu uma última tragada em seu cigarro, e em seguida o apagou, calmamente, no cinzeiro. Suas bronzeadas mãos eram tão grandes quanto as de um homem, as unhas muito compridas e pintadas de um vermelho vivo. Usava um pesado bracelete de ouro, e quando moveu o braço, a jóia retiniu ao chocar-se contra a madeira da mesa. — As coisas têm sido tão desastrosas assim? Afinal de contas, você escreveu um livro de grande sucesso, e se não consegue escrever o segundo, então não consegue e pronto.

Um barco se retirava da pequena enseada do Iate Clube. O tinido de correntes sendo manipuladas singrou a extensão das águas e tangeu-lhes os ouvidos. Viram então uma vela sendo içada mastro acima. Pendeu frouxamente por algum tempo, e em seguida o homem no comando do leme manobrou a embarcação em direção contrária. A vela esvoaçou tremulamente a princípio, mas pouco depois se deixou sacudir as dobras pelo constante vigor do vento e afinal abaulou-se num bojo de ventosa rigidez e em curvas de assoprada regularidade. O barco inclinou-se e avançou mar adentro, inclinando-se um pouco mais ao experimentar todo o impulso do vento.

— Não gosto de quebrar promessas.

— Oh, querido, você fala como se fosse algo pessoal.

— E não é?

— Não. É profissional.

— Você quebraria um acordo profissional, assim como esse?

— Claro que não. Mas escrever não é o mesmo que vender ações ou fazer contas. É um trabalho criativo e não funciona com o mesmo conjunto de princípios. Se você tem um bloqueio de inspiração, então não há nada que você possa fazer.

— Bloqueio de inspiração — repetiu George, amargurado. — É essa a expressão?

Sob o fardo do pesado bracelete, Francis pousou-lhe a mão no braço.

— Por que você não esquece isso? Escreva ao sr... — passou os olhos sobre a assinatura na carta — Rutland, e diga "Bom, está bem. Se você pensa assim, pro inferno com outros livros".

— Você realmente acha que eu poderia fazer isso, não é? Mas, e depois?

Ela deu de ombros. — Bem... — disse, arrastando a voz por um vácuo verbal. — Há outros tipos de distração.

— Tais como...

— A Páscoa será daqui a duas semanas. — Ela pegou a faca que havia usado para abrir os envelopes e começou a acompanhar a granulação da madeira com a ponta. —

Fui convidada para ir a Malagar assistir à tourada do Domingo de Páscoa. Tenho amigos lá, americanos. São grandes entusiastas — *aficcionados* — desse tipo de evento. Em Malagar estão os melhores touros e toureiros da Espanha. E há festas o dia e a noite inteira.

— Parece a viagem dos sonhos oferecida por eficientes operadores de turismo.

— Querido, não se agaste comigo. Não escrevi aquela carta. Apenas a li.

— Eu sei. Sinto muito.

— Você vem comigo? Para Malagar?

O garçom detinha-se por perto. George o chamou e pagou as bebidas. O rapaz recolheu os copos e George lhe deu uma gorjeta. Depois que o rapaz havia se retirado, ele pegou o boné e a caixa embrulhada com papel de listras brancas e rosas.

— Você não respondeu à minha pergunta — lembrou-lhe Francis.

Ele se levantou, segurando o espaldar da cadeira.

— Acho que você esqueceu que eu nunca fui um *aficcionado*. Ver sangue me faz desmaiar.

— Queria tanto que você estivesse lá... — disse, à feição de uma criança.

— Eu estragaria tudo.

Virou o rosto, ocultando-lhe o semblante, para que não lhe visse o desapontamento. — Para onde você vai agora? — perguntou ela.

— Para Cala Fuerte.

— Você não pode ficar aqui?

— Não. Preciso voltar.

— Não me diga que precisa alimentar aquela gata novamente.

— Tenho mais coisas para alimentar além da gata. — Ele tocou-lhe o ombro em despedida. — Obrigado pela carona.

O manto da noite descerrou-se-lhe sobre as vistas enquanto guiava de volta para Cala Fuerte. Quando o sol se recolheu sob o abrigo do horizonte, a temperatura caiu consideravelmente, e ao crepúsculo parou próximo à casa de uma fazenda solitária e estendeu o braço para pegar o suéter que havia trazido consigo. Assim que enfiou a cabeça pela gola, avistou a esposa do fazendeiro saindo da casa para retirar água do poço. O vão da porta aberta acortinava-se com o brilho de amarela luz, que se projetava casa afora, riscando a silhueta da mulher campesina. George disse "*Buenas Tardes*" e ela se aproximou para conversar, apoiando o cântaro sobre os quadris, e perguntou onde ele fora e para onde ia.

Ele estava com sede. Assim, bebeu um pouco da água oferecida por ela, e depois disso seguiu o seu caminho, os faróis do carro sondando-lhe a escuridão da estrada sob o véu azul-safira da noitinha. As primeiras estrelas começaram a pungir o formoso véu, despontando-lhe às vistas como minúsculos diamantes cravejados nas alturas pelo sorvo do Criador, e a montanhosa San Estaban jazia no colo da terra à guisa de iluminada cúpula lançando de seus relevos a cintilante luz dos domicílios. Quando se deslocava pelo último trecho da estrada que conduzia a Cala Fuerte, sentiu o rosto bafejar-se pelo doce hausto da brisa do mar, repassado pelo resinoso olor dos pinheiros.

Indescritível mas inevitável, a sensação de voltar para casa sempre o revigorava. Assim, com o ânimo soerguido, percebia quão deprimido e cansado se sentira o dia inteiro. Pouco havia sucedido a contento. A carta do sr. Rutland lhe sobrecarregava o peso da consciência, e ainda se via atrelado ao fardo da senhorita Queen's Gate. Perguntava-se como ela deveria ter passado o dia, e dizia a si mesmo que particularmente pouco se importava, mas não pôde evitar o desejo, no instante em que deslizava sobre as rodas pelo último declive da estrada que o faria chegar à Casa Barco, de que ela não estivesse mais amuada.

Colocou o carro na garagem, desligou o motor, passeou os olhos pelo relógio. Eram mais de 8h. Saiu do carro, cruzou a vereda, abriu a porta da Casa Barco e entrou. Parecia não haver ninguém no ambiente, embora a casa testemunhasse os inabituados benefícios de um certo zelo e de alguma atenção carinhosa. A lareira ardia em chamas de convidativo aconchego, os abajures vestiam-se com a luz de íntimo conforto, e a mesinha de café situada próxima ao vão da lareira ostentava o arranjo de facas, garfos e copos, e de uma toalha de mesa azul e branca, a qual George ignorava possuir. Notou também o perfumoso capricho de um vaso com flores silvestres, e deixou-se encantar pelo delicioso aroma do inesperado jantar sendo preparado. Depôs o boné numa das peças da mobília e saiu ao terraço, movendo-se sob passos de suave pisoteio, com seu calçado de solado de cordas. Mas o terraço estava escuro e não havia sinal algum de sua hóspede. Debruçou-se sobre o muro, e também nada avistou nas rampas do estaleiro, ouvindo apenas o burburinho das águas do mar acariciando as arenosas crinas da praia, e o chiado produzido pelas amarras do bote quando se retesavam sob a ação do flutuante balanço da pequena embarcação. Demorando-se ali um pouco mais, sentiu-se ainda presentear os ouvidos com os ardentes, latinos arpejos de um violão, vindo de um dos bares das bandas do porto, e também com o canto de uma mulher, um estranho gorjeio de dupla entonação, uma das mouriscas heranças da ilha.

Cerrou o semblante, intrigado, e tornou a entrar em casa. O mezanino estava às escuras, mas havia uma luz acesa na cozinha, e quando foi e se debruçou sobre o balcão, surpreendeu-se ao encontrar Selina acocorada em frente da porta do forno aberta, deitando sumos refogantes numa caçarola, com grande maestria.

— Boa noite — disse, lançando-lhe o cumprimento sobre o topo da cabeça.

Selina ergueu o olhar. Ele não a havia assustado, e percebeu que ela sabia o tempo todo que ele estava em casa, e achou isso desconcertante. Tal fato parecia conferir a ela uma espécie de vantagem.

— Oi! — tornou ela.

— O que você está fazendo?

— Preparando o jantar.

— Parece bom.

— Espero que sim. Lamento não ser um primor de cozinheira.

— O que está cozinhando?

— Bife acebolado com pimentão e outras coisas mais.

— Pensei que não tivéssemos esse tipo de alimento em casa.

— Não tínhamos. Fui até a mercearia de Maria e o comprei.

— Comprou? — impressionou-se. — Mas Maria não fala inglês.

— Não, eu sei. Mas achei o dicionário na gaveta da sua escrivaninha.

— O que você usou como pagamento?

— Sinto dizer que comprei fiado e pedi para colocar na sua conta. Comprei também um par de sandálias para mim. Custou oito pesetas. Espero que você não se importe.

— De forma alguma.

Selina lançou um olhar crítico sobre a caçarola. — Você acha mesmo que parece bom?

— Parece ótimo.

— Pensei em assar a carne, mas não consegui encontrar gordura, exceto azeite de oliva, e de alguma forma julguei que não ficaria bem sem ela.

Selina pegou um pano de prato, colocando com ele a tampa de volta na caçarola, e repôs o fragrante guisado no forno. Fechou-lhe a porta e levantou-se. Eles se fitaram, separados pelo balcão, e ela perguntou:

— Você teve um bom dia?

Sob a luz de tanta domesticidade, George esqueceu o dia que tivera. — O que... ah, sim. Sim, correu tudo bem.

— Enviou o cabograma?

— Sim. Sim, eu o enviei. — Ela tinha um pouco de sarda no nariz, e sob a ação da luz do recinto em que se detinha, seus lisos cabelos brilhavam com até então desconhecidas e lourejantes mechas.

— Quanto tempo eles disseram que levaria?

— O mesmo tempo que imaginamos. Três a quatro dias. — Ele inclinou-se, apoiando-se no balcão com os antebraços cruzados, e perguntou:

— E você, como preencheu o dia?

— Oh... — Parecia nervosa, e para ter algo a fazer com as mãos, começou a lustrar o topo do balcão com o pano de prato que ainda segurava, como se fosse uma diligente garçonete. — Bem, fiz amizade com Juanita, lavei os meus cabelos e sentei ao sol do terraço...

— Você tem sardas.

— Sim, eu sei. Não é horrível? E depois fui até a vila para fazer compras e demorei-me bastante, pois todos queriam conversar comigo, e logicamente não pude entender uma palavra do que disseram. E então eu voltei e descasquei alguns legumes...

— E acendeu a lareira... — George interrompera-a. — E arranjou algumas flores...

— Você percebeu! Estarão mortas amanhã. São simples flores silvestres; eu as colhi quando voltava da vila. — George nada comentou a respeito disso, e ela prosseguiu, afobadamente, como que ansiosa por evitar qualquer pausa na conversa. — Você comeu alguma coisa hoje?

— Não, eu não almocei. Tomei um copo de cerveja às 4h.

— Está com fome?

— Morrendo.

— Falta apenas fazer a salada. Ficará pronta em 10 minutos.

— Você está sugerindo que eu devo vestir um casaco de gala e uma gravata borboleta?

— Não, não estou sugerindo nada disso.

Ele sorriu para ela, aprumou-se e espreguiçou-se. — Vou fazer um trato com você — disse ele —, vou me retirar e cuidar de tirar a sujeira das orelhas e você me prepara um drinque.

Ela pareceu hesitar. — Que tipo de drinque?

— Uísque e soda. Com gelo.

— Não saberia a quantidade certa de uísque a ser servida.

— Dois dedos — disse, mostrando-lhe com um gesto da mão como medir. — Bem, talvez três ou quatro dedos. Entendeu?

— Posso tentar.

— Boa menina. Faça isso.

Ele pegou uma camisa limpa e tomou um banho gelado e rápido. Vestiu-se novamente e, quando estava se penteando, o reflexo de sua imagem no espelho lhe fez atinar com a necessidade de se barbear.

A imagem adquiriu uma inarticulada e íntima voz de piedosa santidade. *Se ela pode assentar a mesa e dar-se ao trabalho de arranjar um ramo de flores, você pode muito bem barbear-se.*

Não lhe pedi para colher as malditas flores.

Você também não lhe pediu para preparar a comida, mas vai jantar.

— *Oh, cale-se!* — disse George, e estendeu o braço para pegar o barbeador.

Fez a barba caprichosamente, acabando com o resto do que pôde aproveitar da loção após-barba, que por ser tão pouco usada, começou a coagular no fundo do frasco.

— *Oh, muito bom* — disse à sua imagem no espelho, recuando para contemplá-la.

— *Satisfeita?* — perguntou George, recebendo como resposta um irônico sorriso de sua imagem.

O uísque esperava por ele na mesa perto da lareira, mas Selina havia voltado para a cozinha, e estava misturando e temperando a salada. Ele pegou o rádio e sentou-se próximo à lareira, de costas para o lume, e tentou encontrar algum tipo de música que pudesse ouvir. — Está havendo uma espécie de festa lá para os lados do porto. Pode-se ouvir uma pessoa cantando.

— Eu sei. É envolvente, não acha?

— Não soa propriamente como uma canção.

— Nem poderia. É música de origem moura.

O rádio, de guinchos e gorjeios, passou a transmitir calorosa música tirada às cordas de um violão. George colocou o aparelho sobre a mesinha e pegou o seu copo. — Espero que seu drinque esteja bom — disse Selina.

Ele o provou. Estava forte demais. — Perfeito — disse ele.

— Espero que o jantar esteja perfeito também. Eu deveria ter comprado também algum pão na loja de Maria, mas parecia haver uma variedade tão grande que acabei não sabendo qual comprar e então desisti.

— Juanita é uma viciada secreta em pães. Ela os consome diariamente como lanche duas ou três horas antes do almoço, com queijo de leite de cabra e um copo de *vino tinto*. Como ela se mantém acordada, eu não sei.

Selina pegou a saladeira, saiu da cozinha e conduziu-se até a mesa arrumada, colocando a terrina sobre o descanso na mesa. Ela vestia uma camisa de listras azuis e verdes, a qual George nunca havia gostado até então, e uma calça azul-marinho, muito bem cortada e elegante, e presa à cintura com um estreito cinto de couro. Ele já havia esquecido sinceramente o motivo daquela discussão da manhã ; toda aquela situação ridícula se lhe havia apagado da mente, mas, comicamente, se viu repentinamente estimulado por seu subconsciente a reconhecer o cinto que ela estava usando como sendo um dos seus, e quando ela estava se afastando dele, retornando para a cozinha, esticou o braço e a agarrou pela reconhecida tira de couro.

— Onde você conseguiu essa calça?

Selina, retida como um cãozinho preso pelo rabo, disse:

— Ela é sua.

Seu despreocupado tom de voz não o convenceu. — Minha? — Sim, era. Era a sua melhor calça jeans. — Ele abandonou o copo e virou Selina em direção contrária, para que ficasse de frente para ele. — Mas ela assenta bem em você. — Selina captou-lhe o olhar, mas por rápidos instantes. — O que você fez com a minha melhor calça?

— Bem... — disse Selina, arregalando os olhos. — Sabe, quando você saiu hoje de manhã, bem, eu não tinha nada para fazer. Então comecei a procurar o que fazer arrumando a casa e percebi, bem, que a calça que você tinha usado ontem à noite estava um pouco suja. Quero dizer, tinha manchas num lado de uma das pernas, como molho de carne ou algo parecido. Assim, eu a levei lá embaixo e a mostrei a Juanita, e ela a lavou para você. E ela encolheu.

Depois de fabricar a revoltante história, não conseguiu esconder o ligeiro embaraço. — Isso é uma mentira ridícula, e você sabe disso. Essa calça tinha acabado de chegar da lavanderia, e desde que eu voltei de San Antonio você tem se comportado como um amistoso gato com dois rabos. E eu, um pobre idiota, pensei que fosse porque você era uma garota esperta e resolveu preparar um bom jantar para o pobre e velho George. Mas não foi isso, não é verdade?

— Mas eu não tinha *nada* para vestir — disse Selina, queixosamente.

— E por isso resolveu vingar-se utilizando-se da minha calça.

— Não foi vingança.

— Apenas porque você pode suportar uma simples brincadeira.

— Bem, parece que você não está suportando esta muito bem.

— Isso é diferente.

— Como diferente?

Ele a fitou furiosamente, mas já sentia que sua raiva inicial estava se diluindo, e a comicidade da situação começava a dominá-lo. Além do mais, havia um brilho nos olhos de Selina que lhe sugeria um lado completamente insuspeitado do seu feminino caráter. — Nunca pensei que você teria coragem de me enfrentar — disse ele.

— É por isso que você está com raiva...?

— Não, claro que não. Fico contente em saber que você tem coragem. E, a propósito — acrescentou, lembrando prazerosamente de que poderia desforrar-se da peça que ela lhe havia pregado. — Tenho algo para lhe dar.

— Tem?

— Sim. — Ele havia jogado o boné e a caixa no assoalho e então foi buscá-los. — Comprei um presente em San Antonio. Espero que você goste.

Ela olhou o diminuto embrulho hesitantemente. — Não poderia ser algo para vestir...

— Abra e veja — disse George, pegando o drinque novamente.

Ela o abriu, desfazendo cautelosamente os laços do embrulho. Deixando o papel e a caixa caírem, segurou, com os braços semi-estendidos, as pontas do minúsculo biquíni rosa que ele comprara.

— Você me pareceu tão transtornada hoje de manhã, por não ter nada para vestir... Espero sinceramente que a cor combine com você.

Selina não conseguiu pensar no quer dizer. O biquíni lhe pareceu sugestivo e chocante ao mesmo tempo. Por lhe ter sido dado por George Dyer, tornou-lhe a ocasião embaraçosa demais para que articulasse quaisquer palavras. Ele não podia imaginar que ela jamais o usaria?

Enrubescendo, e sem olhar para ele, ela conseguiu dizer:

— Obrigada.

George começou a rir. Ela lhe ergueu brevemente o olhar, carregando o semblante, e ele perguntou, um tanto gentilmente:

— Nunca troçaram de você antes?

Ela meneou a cabeça.

— Nem mesmo a babá? — George trazia no tom de voz modulações de hilariante sedução, e de repente a situação já não era mais embaraçosa, mas engraçada.

— Ah, esqueça a babá — disse Selina, mas a jovialidade dele era tão contagiante quanto o sarampo, e ele disse:

— Não tente parar de sorrir. Você deveria sorrir o tempo todo. Você fica realmente bonita quando sorri.

9

Às 7h30 da manhã seguinte, George Dyer abriu a porta para Juanita e a encontrou, como de costume, sentada no muro com as mãos no colo e uma cesta aos pés. A cesta estava coberta com um pano branco, muito limpo, e Juanita abriu um largo sorriso, de renovado contentamento, ao rever o patrão, e manteve-lhe o brilho no rosto enquanto pegava a cesta e se conduzia para o interior da casa.

— Ei, o que você traz aí dentro, Juanita?

— É um presente para a *señorita*. Algumas laranjas das laranjeiras de Pepe, o marido de Maria.

— Maria as enviou?

— *Sí, señor.*

— Gentil da parte dela.

— A *señorita* ainda está dormindo?

— Acho que sim. Não fui ver.

Enquanto Juanita pegava água para lhe fazer o café, ele abriu os batentes das portas e janelas e deixou que a manhã lhe visitasse o lar. Depois, saiu ao terraço e sentiu a frieza do piso de pedra sob os pés. O *Eclipse* balançava tranqüilidade nas águas da formosa enseada, seus brancos mastros contrastando com a verde ramagem dos pinheiros encravados no solo da faixa litorânea adiante. Achou que, talvez, fosse melhor ocupar-se com a nova hélice. De outro modo, não havia nada para fazer. O dia se lhe estendia à frente, beatificamente vazio, para empregá-lo como quisesse. Ergueu o olhar para o firmamento, e achou que o tempo iria ser favorável. Havia uma certa quantidade de nuvens para as bandas do interior da ilha, pairando além de San Estaban, mas elas freqüentemente se detinham nos cimos daquelas montanhas, e a região do céu sobre o mar estava clara e sem nuvens.

O ruidoso tinido do balde sendo baixado no poço havia acordado Selina, e em pouco tempo ela se juntou a George, envergando a camisa que havia tomado emprestado na noite anterior, e aparentemente não estava usando mais nada. Suas longas e esguias pernas já não estavam tão brancas, mas exibiam um bronzeado ligeiramente tirante à cor da gema de um ovo fresco, e havia prendido os cabelos num inocente arranjo, do qual lhe pendiam um ou dois longos fios. Veio debruçar-se ao seu lado sobre o muro do terraço, e ele notou-lhe a fina corrente de ouro que ela usava em torno do pescoço e que parecia certamente suster um medalhão contendo alguma lembrança da infância, ou uma cruz de ouro da confirmação de batismo. Ele sempre detestou a palavra inocência, associando-a a gordos, corados bebês e a lustrosos calendários de encantadores gatinhos; mas agora, inesperadamente, a noção da genuína inocência lhe sobreveio à mente, clara e iniludível como a badalada de um sino.

Ela estava observando Perla, que efetuava seu lambido banho matinal numa pequena nesga da rampa do estaleiro banhada pelo sol, logo abaixo deles. De quando em vez, um peixe ou outro precipitava-se com arremessos do próprio corpo para fora das águas dos baixios, e Perla parava então de lamber-se, congelando petreamente os movimentos do corpo com a frieza de seu felino instinto, as pernas traseiras enrijecidas como a dureza de um poste, apenas para reconhecer a futilidade de tal atitude e retornar à primitiva posição.

— No dia em que Tomeu nos trouxe à Casa Barco, havia dois pescadores lá embaixo, limpando peixes, e Tomeu falou com eles.

— Era Rafael, o primo dele. Ele guarda o seu barco no ancoradouro próximo ao meu.

— Todas as pessoas dessa localidade têm algum tipo de parentesco entre si?

— Mais ou menos. Juanita lhe trouxe um presente.

Ela virou-se para olhar para ele, seus esquivos fios de cabelo caindo-lhe aos ombros à semelhança dos pendões do milho. — Trouxe? O que é?

— Vá ver.

— Eu já lhe dei bom dia, mas ela não falou nada a respeito de presente.

— É porque ela não fala inglês. Vá lá dentro. Ela parece não ver a hora de entregar-lhe.

Selina desapareceu casa adentro. Um estranho intercâmbio de expressões podia ser ouvido, e logo depois ela reapareceu, carregando a cesta sem o pano sobre a tampa.

— Laranjas.

— *Las naranjas* — disse George.

— É assim que são chamadas? Acho que ela disse que foram enviadas por Maria.

— O próprio marido de Maria as cultivou.

— Não foi gentil?

— Você precisa ir até a vila e agradecer-lhe.

— Não posso fazer nada a menos que eu aprenda a falar espanhol. Quanto tempo você levou para aprender?

Ele deu de ombros. — Quatro meses. Morando aqui. Eu não falava uma palavra antes disso.

— E francês?

— Ah, sim, francês também. E um pouco de italiano. Saber falar italiano ajuda muito.

— Preciso tentar aprender pelo menos algumas palavras de espanhol.

— Eu tenho uma gramática e posso emprestar-lhe, e depois você também pode aprender rapidamente alguns verbos se se esforçar.

— Eu sei que *Buenos días* significa bom dia...

— E *Buenas tardes* significa boa tarde, e *Buenas noches*, boa noite.

— E *sí*. Eu sei o que significa. *Sí* é sim.

— E *no* é não, uma das palavras mais importantes que uma jovem moça deve aprender.

— Até mesmo eu, com o meu cérebro de passarinho, posso lembrar-me dessa.

— Ah, eu não teria tanta certeza assim.

Juanita saiu ao terraço portando a bandeja do desjejum e começou a dispor as xícaras e pratos e as coisas relacionadas ao café sobre a mesa. George lhe dirigiu a palavra, dizendo-lhe que a *señorita* ficara muito contente com o presente enviado por Maria, e que ela iria até a vila mais tarde para agradecer-lhe pessoalmente. Juanita abriu um dos sorrisos mais largos que ele já tinha visto, ergueu a cabeça prazerosamente e levou a bandeja de volta para a cozinha. Selina pegou uma *ensamada* e perguntou:

— O que é isso?

— São feitas todas as manhãs por um padeiro de San

Estaban. Juanita as compra para mim e as traz, fresquinhas, para compor o café da manhã — disse ele.

— *Ensamadas.* — Selina trincou-lhe um naco de uma das pontas, e o crocante, macio e açucarado pão incrustou-se-lhe nos dentes. — Juanita trabalha para mais alguém ou somente para você?

— Ela trabalha também para o marido e para os filhos. No campo e em casa. Nunca fez nada exceto trabalhar, durante toda a sua vida. Trabalhar, casar-se, ir à igreja e ter filhos.

— Ela parece tão feliz, não acha? Sempre sorrindo.

— Ela tem as pernas mais curtas do mundo. Você notou?

— Mas ter pernas curtas não tem nada a ver com ser feliz.

— Não, mas faz dela uma das poucas mulheres no mundo que pode esfregar o assoalho sem precisar ajoelhar-se.

Quando terminaram de tomar café e antes que o tempo esquentasse muito, caminharam até a vila para fazer compras. Selina usava a encolhida calça azul-marinho de George e as sandálias que havia comprado na mercearia de Maria no dia anterior, e, enquanto caminhavam, ele a ensinou a dizer "*Muchas gracias por las naranjas*".

Entraram na loja de Maria pela parte da frente, onde os chapéus de palha se amontoavam, e os óleos de bronzear, os filmes fotográficos e as toalhas de banho, e se dirigiram para o elevado, escuro recinto nos fundos. Ali, num ambiente fresco, abrigavam-se os barris de vinho e as caixas de legumes e verduras e de frutas docemente cheirosas, e bengalas de pão do tamanho de um braço. Maria, seu marido Pepe e Tomeu estavam todos ocupados, servindo, e havia um pequeno ajuntamento de fregueses aguardando a vez de serem atendidos; mas quando George e Selina entraram, todos pararam de falar e passearam curiosamente os olhos pelo recinto para saber quem havia chegado, e George aplicou um brando e sugestivo empurrão num dos lados laterais do tronco de Selina com o ângulo formado pelo cotovelo dobrado, e ela disse:

— Maria, *muchas gracias por las naranjas.* — A pândega foi geral, com muitas risadas de dentes intervalados e latinas comemorações, e grande profusão de cumprimenteiros e elogiosos tapinhas nas costas, como se ela tivesse realizado uma enorme façanha.

Terminaram de fazer as compras, enchendo as cestas de mantimentos, e de garrafas de vinho, pães e frutas, e as deixaram para serem entregues de bicicleta por Tomeu na Casa Barco. George aceitou o copo de aguardente oferecido por Pepe, e em seguida ele e Selina caminharam até o hotel Cala Fuerte para ver Rudolfo. Sentaram-se ao bar e Rudolfo lhes trouxe um café. Foi informado de que haviam enviado um cabograma para a Inglaterra para solicitar a remessa do dinheiro, e de que, brevemente, em questão de uns poucos dias, poderiam ressarci-lo, mas Rudolfo apenas riu e disse que não se importava com o quanto teria de esperar. George tomou um outro copo de aguardente, e depois disso se despediram e retornaram para casa.

De volta à Casa Barco, George procurou a gramática de espanhol que o havia ajudado a superar as complicações do processo de aprendizagem de um novo idioma e, depois de encontrá-la, a entregou a Selina.

— Vou começar a estudar agora mesmo — disse ela.

— Bem, antes que você comece, vou até o *Eclipse*. Quer ir também?

— Você vai levá-lo para um passeio?

— Levá-lo para um passeio? Ei, ele não é um cão, sabia?

— Apenas pensei que você fosse dar um giro com ele — disse Selina, meigamente.

— Não, não vou. — Ele enterneceu-se. — Mas preciso levar a hélice para lá, e bem que poderia ser hoje. Você poderia nadar um pouco se quisesse, mas vou logo avisando que a água deve estar muito fria.

— Posso levar a gramática comigo?

— Leve o que desejar. Poderíamos fazer um piquenique.

— Um piquenique!

— Tenho certeza de que Juanita nos colocará algo para comer numa cesta. Não será exatamente um cesta da *Fortnum and Mason*... mas...

— Oh, então peça-lhe para fazê-lo. Assim não teríamos de voltar para almoçar.

Meia hora mais tarde, meteram-se com as coisas no bote. Selina sentou-se na popa, com a caixa contendo a hélice jazendo-lhe entre os joelhos. Trazia a gramática, um dicionário, e uma toalha para o caso de querer nadar. A cesta do piquenique acomodava-se no fundo do bote, aos pés de George, e ele manejou os remos. Quando deixaram a rampa do estaleiro, Juanita deteve-se debruçada sobre o muro do terraço e acenou-lhes com uma flanela, como se lhes estivesse dizendo adeus para sempre, e Perla caminhava de um lado para o outro à beira do mar, miando lamentosamente, dando a entender que gostaria de ir também.

— Por que não podemos levá-la junto? — Selina quis saber.

— Ela detestaria assim que chegasse lá. Água demais a faz ficar traumatizada.

Selina deixou a mão arrastar-se pela água com o movimento do barco e seguiu contemplando as verdes e flutuantes algas tremulando lenta e suavemente ao sabor das líquidas profundezas do oceano. — Parece relva, não acha? Ou uma floresta suspensa pela força do vento. — A água estava bastante fria e ela retirou-lhe a mão, e virou-se para fitar a Casa Barco, embevecendo-se com o seu aspecto, visto então por ela através de desconhecida perspectiva. — Tem uma forma bem diferente de todas as outras casas.

— Já foi um estaleiro.

— Era um estaleiro quando você veio morar aqui?

George parou de remar. — Apesar de ser a presidente do fã-clube de George Dyer, você parece ter lido o meu livro com pouca ou nenhuma atenção. Aliás, será que você o leu mesmo?

— Sim, claro que li. Mas estava apenas interessada nas informações a *seu* respeito, pois pensei que você pudesse ser meu pai. E, finalmente, não havia na verdade nada sobre você. O livro somente relata as coisas relacionadas à vila, ao porto, ao *Eclipse* e a outras coisas mais.

George começou a remar novamente. — A primeira vez que vi Cala Fuerte foi do mar. Eu tinha vindo de Marselha, conduzindo o barco sozinho, pois não havia conseguido reunir uma tripulação, e comi o pão que o diabo amassou tentando encontrar um local adequado para me estabelecer. Penetrei nos domínios dessas águas sob o impulso do motor, e ancorei, não muito longe de onde ele está ancorado agora.

— Você pensava então em ficar, morar aqui, e fazer desse lugar o seu lar?

— Não sei o que pensei. Estava cansado demais para pensar. Mas me lembro bem de como os pinheiros exalavam odorantes perfumes aos primeiros raios do sol da manhã.

Alcançaram o *Eclipse*, encostando-lhe o bote sob o casco, e George pôs-se de pé, amparando-se no corrimão do convés e, apoiando-se na boça da amarragem, içou-se à popa e prendeu o bote, ajudando Selina a descarregar as coisas em seguida. Ela entregou-lhe a toalha, os livros e a cesta do piquenique, e então pôs-se a escalar o barco enquanto George retornou ao bote para haver-se com a pesada caixa da hélice.

A coberta de lona da cabine ainda protegia satisfatoriamente o teto da boléia, exatamente como George a havia fixado, e estava absolutamente seca novamente depois de ter-se encharcado com a água da chuva. Selina desceu à cabine e pôs a cesta do piquenique sobre um dos assentos, passeando o olhar em volta sob o influxo de confusas e admiradas impressões de quem nunca havia estado num barco antes.

— Ele parece terrivelmente pequeno — disse ela.

— O que você pensava encontrar? O *Queen Mary*? — George colocou a hélice no assoalho da cabine, e agachou-se para tirá-la do caminho, empurrando-a para debaixo de um dos vãos dos assentos.

— Não, naturalmente que não.

Ele levantou-se. — Venha; vou lhe mostrar o barco.

A escada da escotilha principal conduzia à cozinha, uma parte da qual havia sido equipada com a mesa de navegação, com algumas gavetas embutidas embaixo suficientemente largas para guardar mapas. Mais adiante, situava-se o camarote, com dois beliches e uma mesa dobrável em cada lado das duas paredes principais. Selina perguntou se era ali que George dormia, e, quando ele respondeu que sim, ela salientou que, embora George medisse longos 1,83 m, os beliches deveriam ter provavelmente apenas 1,52 m. George, assumindo a debochada postura de um mágico, mostrou-lhe como as extremidades dos beliches se estendiam por baixo dos aparadores.

— Ah, entendo. Então você dorme com os pés num buraco.

— Essa é a idéia. E aliás algo muito aconchegante.

Havia no barco uma grande quantidade de livros, aninhados em suas prateleiras por retentores. Além dos colchões, os beliches tinham almofadas azuis e vermelhas, e balancins sustentavam uma lamparina a querosene. Havia também algumas fotografias do *Eclipse* tiradas para registrar no arquivo de doces memórias sua movimentação sobre as águas dos oceanos, exibindo orgulhoso as listras decorativas de enorme vela de regata intumescida pelo sopro do vento, e um armário, com a porta aberta, abarrotado de amarelas roupas de oleado. George moveu-se em direção à proa, contornando lentamente a alva coluna do mastro, e Selina o acompanhou. Chegando ao triangular, minúsculo esporão, notou a existência de um banheiro e de armários para as amarras e correntes.

— Parece tão pequeno. Não consigo imaginar-me morando num lugar tão apertado.

— Você se acostuma. E quando você está sozinho a bordo, pode acomodar-se na cabine. Por isso a cozinha é tão convenientemente situada, bastando praticamente esticar a mão para pegar a comida quando você está navegando. Venha, vamos voltar.

Selina seguiu à frente, enquanto ele interrompia os passos de vez em quando para destrancar as vigias e abri-las. Ao chegar à cozinha, ela estendeu a mão através da escotilha para pegar a cesta de piquenique e trazê-la para dentro, retirando-a do sol. Havia nela uma garrafa de vinho tristemente quente e de gargalo estreito, mas quando Selina falou-lhe a respeito disso, George arranjou um pedaço de barbante, amarrou-o em torno do gargalo e submergiu a garrafa na água do mar, prendendo-a no corrimão do convés. Em seguida, ele entrou novamente no barco, foi até o camarote e retornou com um dos colchões de espuma de um dos beliches.

— O que vai fazer com isso?

— Achei que gostaria de se bronzear. — Ele o colocou na cobertura da cabine.

— O que você vai fazer? Vai instalar a hélice?

— Não, vou esperar a água esquentar um pouco, ou então vou arranjar alguém para instalá-la para mim. — Ele desceu pelo barco adentro novamente, e Selina pegou a gramática de espanhol e escalou a cobertura da cabine, acomodando-se em seguida sobre o colchão caprichosamente. Abriu a gramática e começou a lê-la. — Os nomes têm dois gêneros: masculino e feminino. Aconselhamos aprendê-los conhecendo-lhes concomitantemente o gênero e o artigo definido.

A temperatura havia subido consideravelmente Ela começou a deixar a cabeça descair sobre o livro e fechou os olhos. Ouvia o marulho das salgadas águas, as quais lambiam o casco do barco, arejava os pulmões em brandos haustos com as olorosas emanações dos pinheiros, confortava a alma com os tépidos eflúvios vindos do sol distante. Esparramou-se, abandonou os braços à meiguice dos raios do seu ardor, e as suas mãos e os seus braços também os ofertou, e esqueceu-se do resto do mundo, pois a realidade era aqui e agora, um deleitante iate branco ancorado numa azulina enseada, com George Dyer movendo-se laboriosamente sob o convés, lá embaixo na cabine, abrindo e fechando armários e ocasionalmente praguejando quando deixava cair algo acidentalmente.

Algum tempo depois, abriu os olhos e disse:

— George.

— Umm...? — Ele estava sentado na cabine sem camisa, fumando um cigarro, e bobinando uma corda num irretocável rolo.

— Agora eu sei o que é gênero gramatical masculino e feminino.

— Bem, é um bom começo.

— Estava pensando em nadar.

— Ora, então nade.

Sentou-se, tirando os cabelos do rosto e jogando-os para trás.

— Será que a água está muito fria?

— Depois de conhecer Frinton, nada lhe pode parecer frio.

— Como você sabe que eu costumava ir a Frinton?

— É uma intuição que acalento, desde que a conheci, de uma das coisas que lhe dizem respeito. Visitam-me a mente lampejantes vislumbres dos prováveis verões que você deve ter passado lá com a sua babá. Verões de roxa frialdade e muito tiritar de dentes.

— Você está certo. É isso mesmo. E as praias são de seixos, e eu tinha de usar sempre um enorme suéter sobre a roupa de banho. Agnes detestava o local também. Só Deus sabe por que íamos passar o verão lá.

— É muito fundo. Você sabe nadar?

— Claro que sei nadar.

— Vou manter o harpão por perto para o caso de aparecer algum tubarão antropófago.

— Ah, engraçadinho! — Ela tirou a blusa, e estava usando o biquíni que ele lhe dera. — Meu Deus! — disse ele, pois lhe havia regalado com tal presente apenas por brincadeira, e nunca tinha podido imaginar que ela iria ter coragem de usá-lo. Mas agora se sentia como se o feitiço se houvesse voltado contra o feiticeiro, e ali se demorava apalermadamente de pé, com a pútrida substância de um ovo que por ventura houvesse atirado em alguém agora a escorrer-lhe fedorentamente do próprio rosto. Novamente a palavra inocência assaltou-lhe a mente, e pensou, ainda que de forma injusta, em Francis, com o seu rosto curtido pelo rigor do sol, seu corpo escurecido por intenso bronzeado e seus vistosos biquínis, os quais não lhe faziam parecer senão uma pessoa vulgar.

Nunca pôde ter certeza se Selina tinha ouvido ou não a sua exclamativa estupefação, pois ela mergulhou segundos antes de ele inadvertidamente verbalizar suas impressões. Ficou observando-a nadar, e ela o fazia elegantemente, sem chapes e borrifos exagerados, com seus longos cabelos boiando-lhe espraiadamente às costas, à feição de uma desconhecida e bela espécie de alga marinha.

Quando ela finalmente subiu a bordo, tremendo de frio, ele lhe jogou uma toalha e desceu até a cozinha para buscar-lhe algo para comer: umas fatias de pão com um pouco de queijo de leite de cabra de Juanita. Ao retornar, ela tinha voltado a se acomodar na cobertura da cabine, secando-se ao sol, enxugando os cabelos com a toalha. Selina o fazia lembrar de Perla. Ele lhe entregou o sanduíche, e ela disse:

— Em Frinton, sempre comia biscoitos de gengibre. Agnes os chamava de lanche do arrepio.

— Tenho certeza de que chamava.

— Você não deve referir-se a ela desse jeito. Você nem mesmo a conhece.

— Desculpe.

— Provavelmente iria gostar dela se a conhecesse. Vocês certamente teriam muita coisa em comum. Agnes aparenta estar sempre zangada. Mas é só aparência. Ela é um cãozinho que ladra mas não morde.

— Grato pela parte que me toca — disse George, com educada ironia.

— Eu disse isso a título de elogio. Gosto muito de Agnes.

— Talvez se eu aprendesse a tricotar, você passaria a gostar de mim também.

— Temos mais pão lá embaixo? Ainda estou faminta.

Ele foi até a cozinha novamente, e, quando retornou, encontrou-a deitada de bruços pela segunda vez, com a gramática aberta. Ela dizia:

— *Yo*-Eu, *Tú*-Tu (familiar), *Usted*-Você (polido).

— Não é *Ustédi*. É *Ustêth*... A letra *d* precedida ou seguida de *a*, *e*, *o*, *i* tem a pronúncia semelhante à do *th* das palavras da língua inglesa. Nesse caso, é um fonema linguodental oclusivo, ou seja, é pronunciado com a ponta da língua pressionada suavemente entre os dentes — disse, procurando familiarizá-la com a delicada sutileza do fonema espanhol.

— *Ustêth*... — Ela pegou o pão e começou a comer, absorta. — Sabe, é engraçado. Embora você saiba muitas coisas a meu respeito... — claro que eu as tive de dizer, já que pensava que você fosse meu pai —, não sei quase nada sobre você.

George nada disse, e ela se virou para fitá-lo. Ele estava de pé, próximo à cabine, tendo o rosto ao mesmo nível e situado a não mais do que meio metro de distância do rosto dela, mas o mantinha virado para o lado; ele observava um barco de pesca deixando o ancoradouro e avançando pelas límpidas águas azul-esverdeadas da enseada e tudo que ela pôde ver foi o bronzeado perfil da testa, da bochecha, do queixo. Ele nem mesmo fez menção de virar-se enquanto ela falava, mas algum tempo depois, ele disse:

— Não, acho que você não sabe.

— E eu estava certa, não estava? *Fiesta em Cala Fuerte* não foi um livro sobre sua vida. Você mal aparece no livro.

Depois de se deter por mais alguns instantes observando o barco de pesca avançar lentamente por entre as margens do canal de profundas águas, George perguntou:

— O que você tem tanta vontade de saber?

— Nada. — Selina começou a se arrepender de ter tocado no assunto. — Nada de especial. — Ela fez uma orelha numa das páginas da gramática, mas a desfez rapidamente, pois lembrou-se de ter sido ensinada de que aquilo era falta de educação. — Acho que é apenas curiosidade de minha parte. Foi Rodney, meu advogado — aquele de que lhe falei a respeito —, quem me deu uma cópia do seu livro. E quando eu lhe disse que achava que você era meu pai e que eu desejava vir procurá-lo, ele disse que eu não deveria despertar um tigre adormecido.

— Rodney parece ter uma imaginação muito fértil. — O barco passou por eles, alcançou águas profundas, ganhou mais propulsão e tomou a direção do mar aberto. George virou-se para encará-la. — O tigre era eu?

— Na verdade, não. Ele apenas não queria que eu me envolvesse em complicações inúteis.

— Você não seguiu o seu conselho.

— Não, eu sei.

— E o que exatamente você quer dizer com isso?

— Apenas que sou naturalmente curiosa, suponho. Sinto muito.

— Não tenho nada a esconder.

— Gosto de conhecer a vida das pessoas. Sua família e seus parentes.

— Meu pai morreu em 1940.

— *Seu* pai também é falecido?

— O contratorpedeiro em que ele servia foi torpedeado por um submarino alemão no Atlântico.

— Ele era Oficial da Marinha? — George acenou positivamente com a cabeça. — Quantos anos você tinha?

— Doze.

— Você tinha irmãos e irmãs?

— Não.

— O que aconteceu com você então?

— Bem, vejamos... Continuei na escola, e depois fui servir ao Exército. Decidi seguir carreira, estudando para ser Oficial, o que acabei conseguindo.

— Não quis fazer carreira na Marinha, assim como o seu pai?

— Não. Achei que o Exército seria bem mais interessante.

— E foi?

— Um pouco. Não totalmente. E então... meu tio George sugeriu, já que ele não tinha filhos, que poderia ser uma boa idéia eu entrar para os negócios da família.

— Que tipo de negócios?

— Lanifícios na West Riding* de Yorkshire.

— E você entrou?

— Sim, sentia-me como que obrigado moralmente.

— Mas no fundo você não queria?

— Não, não queria.

— O que aconteceu então?

O semblante de George tomou ares de indecifrável vagueza. — Bem, nada. Permaneci em Bradderford por cinco anos, conforme havia concordado em fazê-lo, e depois vendi a minha parte no negócio e segui outros rumos.

— Seu tio George não se importou?

— Não se pode dizer que ficou muito contente.

— E o que você fez depois?

— Eu comprei o *Eclipse* com o dinheiro e o lucro obtidos com a venda da minha passageira participação nos negócios da família e, depois de alguns anos rodando pelo mundo, vim parar aqui. Acabei ficando e vivo feliz desde então.

— Foi aí que você escreveu o seu livro.

— Sim, naturalmente que escrevi o meu livro.

— E isso é uma das coisas mais importantes que se pode fazer.

— Por que tão importante?

— Porque é criativo. É algo que vem de dentro de você. Saber escrever é um dom. Eu não consigo escrever um único parágrafo.

— Eu também não — disse George — e é por isso que o Sr. Rutland me enviou por seu intermédio aquela carta com veladas críticas.

---

* A West Riding foi, até 1974, uma das três divisões administrativas do condado inglês de Yorkshire. As outras duas eram a East Riding e a North Riding. (N. do T.)

— Você não vai escrever outro livro?

— Acredite, eu escreveria se pudesse. Até comecei, mas a tentativa foi um fiasco tão grande que eu rasguei tudo em mil pedaços e fiz com eles uma espécie de fogueira ritual. Foi desencorajador, para usar de um eufemismo. E eu havia prometido ao velho editor que faria um segundo esforço e tentaria produzir algo dentro de um ano, mesmo que fosse apenas uma idéia, um rascunho de uma boa história, mas logicamente não consegui. Disseram-me que estou sofrendo de bloqueio de inspiração, o qual, se você deseja saber melhor o que seja, eu diria que é o pior tipo de constipação mental.

— Baseado em que tipo de assunto você tentou escrever o segundo livro?

— Uma viagem que fiz ao Mar Egeu, antes de vir morar aqui.

— O que deu errado?

— A sinopse era muito enfadonha. Foi uma superviagem, mas a forma como eu a tentei descrever pareceu tão excitante quanto uma viagem de ônibus através de Leeds num chuvoso domingo de novembro. De qualquer forma, é assunto a respeito do qual já escreveram.

— Mas isso não vem ao caso. Certamente você tem de encontrar um ângulo original no modo de descrevê-la, ou uma nova abordagem. Não é assim que funciona?

— Sim, claro. — Ele sorriu para ela. — Você não é tão verde quanto esse seu jeito de couve.

— Você diz coisas belas de uma maneira horrível.

— Eu sei. Sou perverso e pervertido. Agora, e quanto àqueles pronomes pessoais?

Selina tornou a concentrar a atenção no livro. — *Usted.* Você. *El.* Ele. *Ella*...

— O "l" duplo é pronunciado como o dígrafo "lh" da palavra *alho*.

— *Êlha* — experimentou Selina, e ergueu o olhar na direção dele. — Você nunca foi casado?

Ele não respondeu logo, e contraiu os músculos do rosto, talvez como parte integrante de um complexo mecanismo da mente que ativava-lhe, por meio de palavras-chave, um projetor espiritual, e ele revia involuntariamente, através das lentes da memória, alguns importantes lances do seu passado pessoal. — Nunca casei — disse, sob calma aparente. — Mas fiquei noivo uma vez. — Selina manteve-se calada, e, talvez por seu encorajador silêncio, ele continuou falando. — Isso aconteceu quando eu morava em Bradderford. Seus pais eram daquela região mesmo. Pessoas muito ricas, muito gentis, que prosperaram pelo próprio esforço. O sal da terra, sem dúvida. O pai dela dirigia um Bentley e, sua mãe, um Jaguar. Jenny tinha um cavalo enorme, especialmente usado para caçar raposas, e o animal era transportado num reboque motorizado de cavalos. Eles costumavam ir a San Moritz para esquiar e a Formentor para passar as férias de verão, e também ao Festival de Música de Leeds, pois achavam que tais preferências eram o que se esperava deles, pela posição social que ocupavam.

— Não sei se você está sendo gentil ou cruel.

— Eu também não sei.

— Mas por que ela rompeu o noivado?

— Ela não rompeu. Eu rompi. Duas semanas antes do maior casamento que Bradderford teria assistido. Durante meses, fiquei sem poder aproximar-me de Jenny por causa de suas excessivas preocupações com damas de honra, enxoval, fornecedores, fotógrafos e presentes de casamento!

Tudo isso começou a me dar a impressão de que uma barreira se erguia entre nós, de tal forma que eu não conseguia mais aproximar-me dela. E quando percebi que ela não se importava com tal impedimento, que nem mesmo sabia que ele existia... Bem, nunca tive muito amor-próprio, mas o que restava eu senti necessidade de preservar.

— Você lhe disse que não iria mais se casar com ela?

— Sim. Fui à casa dela. Eu comuniquei a Jenny primeiramente e depois a seus pais. E tudo ocorreu num recinto cheio de caixotes e caixas e muita toalha de papel, castiçais de prata e saladeiras e serviços de chá e centenas de porta-torradeiras. Foi horrível. Pavoroso. — Ele estremeceu ligeiramente ao rememorar. — Eu me senti como um assassino.

Selina pensou no apartamento novo, nos tapetes e nas chitas, no cerimonioso branco do vestido, no casamento, na igreja e no Sr. Arthurstone fazendo as vezes de padrinho. O pânico que repentinamente lhe visitou a alma foi o pânico apavorante de um terrível pesadelo. O pânico de perder-se, de saber que se havia perdido. De saber que, em algum lugar, você havia seguido pelo desvio errado e que não encontraria nada pela frente, exceto desastres, abismosos penhascos, e todo tipo de inomináveis pavores. Tinha vontade de pôr-se de pé, de fugir, de irromper em desesperada carreira para longe de todos os compromissos que havia assumido.

— Foi... foi nessa ocasião que você deixou Bradderford?

— Não fique tão horrorizada. Não, não foi. Eu ainda tinha dois anos pela frente. Deixei que se cansassem de me tratar como *persona non grata* procurando simplesmente ignorar todo tipo de pessoa que se recusava a falar comigo muitas das quais eu jamais tinha imaginado que pudessem tomar tal atitude. Mas foi uma experiência interessante de certa forma, pois pude descobrir quais eram os meus verdadeiros amigos... — Ele avançou um ou dois passos para apoiar-se com os cotovelos na borda da cobertura da cabine. — Mas tudo isso de nada serve para melhorar o seu já impecável espanhol da Real Academia. Veja se você consegue conjugar o Presente Simples de *hablar*.

Selina tentou. — *Hablo*. Eu falo. *Usted habla*, você fala. Você estava apaixonado por ela?

George ergueu rapidamente o olhar, mas não havia ressentimento em seus olhos, apenas angústia. Em seguida, sem responder-lhe, ele pousou espalmadamente a bronzeada mão sobre uma das páginas abertas da gramática e disse gentilmente:

— Sem olhar. Não se deve colar.

O Citröen chegou a Cala Fuerte no período mais quente do dia. O sol resplandecia no azul de um céu sem nuvens, lançando, sobre os pontos onde os seus raios não podiam alcançar, um negro véu de intensas sombras, mas realçando ainda mais a brancura das casas e do chão poeirento. Não se via pelos arredores uma única alma viva. As janelas das pequenas casas estavam todas fechadas, e, quando Francis parou em frente ao Hotel Cala Fuerte e desligou o potente motor do carro, houve um grande silêncio, quebrado apenas pelo farfalhar da ramagem dos pinheiros que rumorejavam sob a ação de misteriosa brisa.

Ela saiu do carro, fechou a porta e subiu as escadas que conduziam à portaria do hotel, cruzando mais adiante a cortina de cadeias, em direção ao bar de Rudolfo. Depois de ter os olhos expostos à intensa claridade do sol, levou algum tempo para se acostumar com a escuridão reinante no recinto, mas Rudolfo estava lá, dormindo a sesta numa das longas cadeiras de junco que ali havia, e ele acordou quando ela chegou, e se levantou, sonolento e surpreso.

— Oi, *amigo* — disse ela.

Ele esfregou os olhos. — Francesca! O que você está fazendo aqui?

— Acabei de chegar de carro de San Antonio. Você poderia preparar um drinque?

— O que você gostaria de beber? — perguntou ele, entrando no balcão.

— Você tem cerveja bem gelada? — Ela subiu num banquinho e pegou um cigarro, acendendo-o com um dos palitos da caixa de fósforos que Rudolfo lhe oferecera. Ele abriu a cerveja e despejou um pouco no copo, cuidadosamente, sem fazer espuma. — Esta não é a melhor hora do dia para se guiar um conversível.

— Não me importo.

— Este é o dia mais quente que já tivemos este ano. San Antonio parece uma lata de sardinha levada fechada ao fogo; é um alívio poder escapar para o campo.

— É por isso que você está aqui?

— Não apenas por isso. Vim ver George.

Rudolfo costumava reagir a esses esporádicos anúncios de Francis de forma bem caracterizada, a qual consistia em dar de ombros e deixar descair os cantos da boca. Parecia querer sinalizar algum tipo de insinuação, o que dessa vez levou Francis a cerrar o semblante. — Ele não está na vila?

— Mas é claro que está. — Um brilho de sugestiva

malícia lampejou nos olhos de Rudolfo. — Você sabia que ele tem uma visita hospedada na Casa Barco?

— Uma visita?

— Sua filha.

— *Filha*! — Depois de um instante de silenciosa estupefação, Francis riu. — Você está louco?

— Não estou louco. A filha dele está aqui.

— Mas... mas George nunca se casou.

— Sobre isso eu nada sei — disse Rudolfo.

— Por Deus, quantos anos ela tem?

Ele deu de ombros novamente. — Dezessete?

— Mas é impossível...

Rudolfo começou a se irritar. — Francesca, estou lhe dizendo que ela está hospedada lá.

— Eu estive com George em San Antonio ontem. Por que ele não disse nada?

— Ele não tentou dizer-lhe ou fazê-la saber de uma forma indireta?

— Não. Não tentou.

Mas Francis sabia que isso não era rigorosamente verdadeiro, pois todas as atitudes dele no dia anterior haviam sido insólitas e, portanto, sob as vistas dela, ligeiramente suspeitas. A súbita necessidade de enviar um cabograma depois de ter estado na cidade havia apenas um dia, a compra feita na loja de Teresa, uma das lojas mais femininas da cidade, e seus comentários finais sobre ter mais a alimentar do que a gata quando retornasse para Cala Fuerte. Era curioso. Durante o restante da tarde e a maior parte da noite desse dia, ela ficou ruminando essas três pistas, que talvez ele as tivesse dado involuntariamente, convencendo-se afinal de que elas compunham o quadro de uma situação que ela sentia que precisava conhecer, e nessa manhã, incapaz de continuar ignorando o que na sua opinião lhe dizia respeito de alguma forma, decidiu vir a Cala Fuerte e descobrir o que estava acontecendo. Mesmo que não houvesse nada a descobrir, ela teria a oportunidade de rever George. Sem dúvida, as congestionadas ruas de San Antonio haviam começado a lhe afetar os nervos, e a perspectiva de saborear o ambiente constituído pelas tranqüilas e azuladas enseadas e perfumado pelo viçoso cheiro dos pinheiros de Cala Fuerte era muito convidativa.

E agora isso. A filha de George. Ele tinha uma filha. Ela apagou o cigarro e notou que sua mão estava tremendo.
— Como ela se chama? — perguntou Francis, tão calma o quanto pôde.

— A *señorita*? Selina.

— Selina. — Repetiu-lhe o nome, articulando bem as sílabas como se ele lhe deixassem um horrível ranço na boca.

— Ela é muito charmosa.

Francis terminou de tomar a cerveja. Largou o copo vazio no galpão e disse:

— Acho melhor eu ir lá e procurar conferir pessoalmente.

— Penso que é isso o que deveria fazer.

Ela desceu do alto banquinho, pegou a bolsa e seguiu em direção à rua. Mas, ao chegar à cortina divisória, ela parou e se virou, e viu que Rudolfo a observava com um matreiro brilho nos seus pequenos olhos de rã.

— Rudolfo, se eu quisesse passar a noite na vila... você teria um quarto para mim?

— Claro, Francesca. Providenciarei para que você tenha um quarto disponível.

Pegou o carro e seguiu, sob nuvens de poeira, para a Casa Barco, e, quando lá chegou, deixou o Citröen na única nesga de sombra que pôde encontrar. Em seguida, atravessou a vereda em direção à casa. Ela abriu o batente verde da porta principal, e chamou:

— Há alguém em casa? — Mas não obteve resposta, e então entrou.

A casa estava vazia, porém, o ambiente trescalava doces impressões; de cinzas de perfumosa madeira e de frutas, e estava agradavelmente arejada pela aragem que a natureza soprava do mar, e penetrava pelas janelas abertas. Deixou a bolsa numa cadeira e vagueou pelo domicílio, procurando sinais da reportada presença feminina, mas não parecia haver nenhum. Ouviu um ruído encoando-se do mezanino, porém, quando olhou para cima, um tanto sobressaltada, viu que era apenas a irrequieta gata branca de George que havia pulado da cama, e depois desceu as escadas para dar as boas-vindas à visitante. Francis não gostava de gatos, especialmente aquele, e empurrou Perla com o pé, mas a dignidade da gata não diminuiu por causa disso. Desistindo de miar-lhe cumprimentos, abandonou Francis, dando-lhe as costas, desenhando aos olhos da namorada de George, com o rabo ereto e com o corpo sob a perspectiva de íntegra retirada, todo o valor do seu amor-próprio, e saiu para o terraço. Depois de alguns instantes, Francis decidiu ir atrás dela, pegando o binóculo de George sobre a mesa enquanto para lá se dirigia. Ela ergueu o binóculo, levando aos olhos. Focalizou o iate e os seus ocupantes; e os elementos de suas preocupações lhe saltaram às vistas em ampliada perspectiva. George estava na cabine, deitado num de seus assentos, seu velho boné cobrindo-lhe parcialmente o rosto, e um livro jazendo-lhe sobre o tórax. A moça acomodava-se, com os membros espraiados, na cobertura da cabine, o corpo uma combinação de braços e pernas ossudos, na cabeça um pálido arranjo de ruivos cabelos. Ela vestia uma camisa que parecia pertencer a George, e Francis não lhe pôde ver o rosto. A singela cena imbuía-se de contentamento e companheirismo, o que fez com que Francis carregasse o semblante depois de baixar o binóculo. Voltou ao interior da casa e o repôs sobre a mesa. Em seguida, resolveu tomar um pouco de fresca, doce água do poço de George. Momentos depois, voltou a sair ao terraço, trazendo na mão o copo com água, e puxou a menos letal das cadeiras que nele havia até a sombra proporcionada pelo toldo de junco fendido, espreguiçou-se cautelosamente, e se acomodou, aguardando.

— Você está acordada? — perguntou George.

— Sim.

— Acho que deveríamos arrumar as coisas e voltar. Você já tomou bastante sol.

— Eu sei.

— Foi aquele vinho maravilhoso.

— Sim, deve ter sido.

George remou de volta para a Casa Barco, e o bote seguia suspenso como uma branca nuvem sobre a cristalina lâmina do mar azul-pavão, sua sombra avançando vaporosamente por sobre as algas abaixo deles. A pele de Selina formigava ardentemente e parecia esticar-se, como se, à semelhança de uma fruta muito madura, fosse ter a casca rompida e o sumo derramado. Mas tal sensação não lhe era desagradável — era simplesmente a parte integrante de um dia esplêndido. Colocou a cesta de piquenique entre os joelhos e disse:

— Foi um ótimo piquenique. O melhor que eu já fiz — e esperou que George dissesse algum gracejo sobre Frinton, mas para sua deleitante surpresa ele não disse nada, apenas sorriu para ela, dando a impressão de que havia também tinha gostado.

Ele acostou o bote no ancoradouro, desembarcou e o prendeu com uma corda, dando-lhe duas seguras laçadas. Selina passou-lhe as coisas que eles haviam levado, e em seguida também desembarcou, acompanhando-lhe os passos, com o piso do cais abrasando-lhe as solas dos pés descalços. Então passaram pelas rampas do estaleiro e começaram a subir os degraus da escada que conduzia ao terraço, George seguindo à frente, o que fez com que Selina, retardando involuntariamente alguns passos, ouvisse a voz de Francis Dongen antes mesmo de vê-la pela primeira vez.

— Ei, olhe quem chegou!

Por uma fração de segundo, George pareceu ter os movimentos do corpo petrificados pela surpresa da inesperada presença de Francis. Mas procurando refazer-se rapidamente do susto e dissimular quaisquer impressões negativas relacionadas à sua inoportuna visita, seguiu em frente, subindo os dois ou três últimos degraus da escada e alcançando o terraço, como se nada de mais estivesse acontecendo.

— Oi, Francis — disse ele, com a casualidade que pôde invocar.

Selina veio atrás, guardando discrição e silêncio. Francis reclinava-se na velha cadeira de junco, com os pés cruzados e apoiados sobre a mesa. Ela trajava uma camisa quadriculada azul e branca, amarrada com um nó à base do tórax, para exibir o ventre intensamente bronzeado, e uma calça branca de brim, justa e decotada. Ela se havia livrado dos sapatos, e seus pés, descansando sobre a borda da mesa, estavam escurecidos e empoeirados, as unhas uma vistosa obra de laca vermelha. Não se deu o trabalho de sentar-se ou levantar-se, mas simplesmente manteve-se comodamente sentada, indolentemente, com as mãos descansando ao piso do terraço, observando George atentamente de sob algumas mechas de seus louros e curtos cabelos, que lhe haviam caído sobre o rosto.

— Que surpresa agradável! — disse ela, olhando por sobre os ombros de George e vendo Selina. — Oi!

— Oi — tornou Selina, esboçando um amarelo sorriso.

George pôs a cesta no piso do terraço. — O que você está fazendo aqui?

— Bem, San Antonio está muito quente, cheio e barulhento, e achei que eu merecia alguns dias de folga.

— Você vai ficar aqui?

— Rudolfo disse que me arranjaria um quarto.

— Você esteve com ele?

— Sim, tomei um drinque com ele antes de vir para cá. — Deteve as vistas no rosto dele, os olhos desferindo dardos de grande malícia, escarnecendo-o, obviamente, pois ele não sabia o que Rudolfo dissera a ela.

George sentou-se na beirada da mesa. — Rudolfo lhe disse que Selina estava hospedada aqui?

— Oh, sim, claro que disse. — Ela sorriu para Selina. — Sabe, você foi a maior surpresa que eu já tive. George, você não nos apresentou ainda.

— Perdão. Selina, esta é a Sra. Dongen...

— Francis — disse ela rapidamente.

— E esta é Selina Bruce.

Selina avançou alguns passos com uma das mãos estendidas para dizer-lhe "como vai", mas Francis ignorou-lhe a tentativa.

— Você está aqui de visita?

— Sim, estou...

— George, você nunca me disse que tinha uma filha.

— Ela não é minha filha — devolveu ele.

Francis, sem estampar no semblante nenhuma expressão significativa, pareceu aceitar o que ele acabara de dizer. Depois disso tirou os pés de sobre a mesa e pôs-se sentada. — Você está tentando me dizer...

Ela virou-se para olhar para ele, e George viu que ela estava confusa e embaraçada, e até mesmo, possivelmente, um pouco magoada. — Você se incomodaria se eu conversasse com Francis a sós, apenas por alguns instantes? — perguntou ele.

— Não. Naturalmente que não. — Selina tentou sorrir, para mostrar quão pouco ela se incomodava, e largou apressadamente as coisas que estivera carregando, a toalha e a gramática de espanhol, como que para se livrar de quaisquer obstáculos antes de efetuar uma rápida retirada de cena.

— Cinco minutos apenas...

— Vou voltar para o bote. Está fresco lá embaixo.

— Sim, faça isso.

Ela foi, rapidamente, furtando-se-lhes da vista pela escada abaixo. Logo depois, Perla, que se detinha sentada no muro do terraço, levantou-se e espreguiçou-se, e saltou suavemente do muro, indo atrás de Selina. George voltou-se para Francis. — Ela não é minha filha — tornou a dizer.

— Bem, então quem diabos ela é?

— Ela chegou de Londres, sem avisar, procurando por mim, pois achava que eu era seu pai.

— O que a fez acreditar nisso?

— A fotografia na última capa do meu livro.

— Você se *parece* com o pai dela?

— Sim, pareço-me. De fato, ele foi um primo distante, mas isso não vem ao caso. O pai dela está morto. Morreu há muitos anos. Morreu na guerra.

— Certamente ela não pensou que ele pudesse ressuscitar?

— Suponho que quando você deseja algo com muita intensidade, acaba acreditando em milagres.

— Rudolfo me disse que ela *realmente* era sua filha.

— Sim, imagino. A falsa notícia de que ela era minha filha espalhou-se rapidamente pela vila, e para o bem dela pareceu-me melhor não negar essa suposta paternidade. Ela já estava aqui havia dois dias.

— Morando aqui com você? Você deve ter perdido um parafuso dessa sua cabeça.

— Ela teve de ficar. A companhia aérea tinha extraviado sua bagagem, e sua passagem de volta foi roubada no aeroporto.

— Por que você não falou sobre ela ontem?

— Porque não me parecia ser da sua conta. — Ele teve a impressão de ter sido mais rude do que realmente pretendia. — Oh, Deus, sinto muito, mas esta é a verdade.

— O que os seus amigos em Cala Fuerte irão dizer quando souberem que ela não é sua filha? Quando eles souberem que você mentiu para eles...

— Explicarei tudo quando ela partir.

— E quando será isso?

— Quando recebermos algum dinheiro a ser enviado

pelo banco dela em Londres. Já estamos devendo seiscentas pesetas a Rudolfo, precisamos comprar uma outra passagem aérea, e o meu dinheiro ainda não foi liberado pelo banco em Barcelona...

— Você quer dizer que a única causa de tudo isso é o dinheiro! — George a fitou. — É a única coisa que a tem detido aqui? Essa é a única razão pela qual você não a enviou direto para casa? — perguntou Francis ainda.

— É certamente uma boa razão.

— Mas, por Deus, por que você não recorreu a mim?

George abriu a boca para lhe dizer por quê, mas a fechou em seguida. Francis não acreditou nas razões dele.

— Ela quer permanecer aqui? Você *quer* que ela permaneça aqui?

— Não, claro que não. Ela parece não ver a hora de partir, e eu não vejo a hora de me livrar dela. Mas, enquanto não podemos resolver nada, a situação me parece completamente inofensiva.

— Inofensiva? Essa é a coisa mais ingênua que eu já o ouvi dizer. Ora, tal situação é tão inofensiva quanto um barril de pólvora.

Ele nada argumentou, mas se manteve sentado, os ombros arqueados, suas mãos segurando tão firmemente a borda da mesa que os nós dos dedos se descoraram. Francis, mostrando-se gentilmente compreensiva, pousou sua mão sobre a de George, e ele não tentou remover sua própria mão. — Você confiou em mim. Agora, deixe-me ajudá-lo. Há um vôo que parte hoje de San Antonio para Barcelona às 19h. Ele faz escala em Londres, e ela chegaria lá por volta da meia-noite. Eu darei a ela uma quantia suficiente para fazer a viagem e chegar até em casa. — George continuou sem dizer nada, e ela prosseguiu, gentilmente:

— Querido, não é hora de hesitações. Eu tenho razão, e você sabe disso. Ela não pode ficar aqui por mais tempo.

Selina estava sentada na extremidade do cais, de costas para casa, batendo distraidamente as pernas dentro d'água. Ele desceu a escada que levava ao estaleiro, cruzou a rampa, e seguiu pelo mal conservado madeiramento do ancoradouro, seus passos ressoando ruidosamente, mas ela não se virou. Ele a chamou pelo nome. Ela não respondeu. Ele se agachou a seu lado.

— Escute. Preciso conversar com você.

Ela se afastou dele, inclinando-se para o lado, deixando a cabeça e a parte superior do tórax pairar sobre a água, e os seus cabelos se partiram na região dorsal do escalpo, pendendo-lhe ao lado de cada uma das faces.

— Selina, tente entender.

— Você ainda não disse nada.

— Você pode voltar para Londres hoje à noite. Há um vôo que parte às 19h; você chegará em casa provavelmente por volta da meia-noite, ou à 1h no máximo. Francis disse que empresta o dinheiro para comprar a passagem...

— Você quer que eu vá?

— Não é o caso de eu querer, ou você querer. Temos de fazer o que é correto e o que será melhor para você. Pensando bem, acho que eu não deveria nem mesmo ter permitido que você ficasse aqui, mas acabamos nos deixando levar pelas circunstâncias. Agora, encaremos a realidade; Cala Fuerte não é exatamente um lugar para uma pessoa como você, e a pobre Agnes certamente deve estar ansiosa para saber o que está acontecendo. Eu realmente acho que você deveria ir.

Selina tirou suas longas pernas da água, e contraiu os joelhos de encontro ao queixo, abraçando-os em seguida, como se por tal gesto estivesse tentando manter a integridade do corpo, impedindo-o de desmantelar-se.

— Não a estou mandando embora... A decisão tem de ser sua... — disse ele.

— Foi muito gentil de sua amiga ter decidido ajudar-me.

— Ela realmente quer ajudar.

— Se vou partir de volta para Londres hoje à noite, não tenho muito tempo — disse Selina.

— Eu a levarei a San Antonio.

— Não! — Ela o sobressaltou com sua veemência, e virou-se para fitá-lo pela primeira vez naquela ocasião. — Não, não quero que você vá. Certamente uma outra pessoa pode levar-me! Rudolfo, ou um táxi ou outra coisa. Deve haver alguém.

Ele tentou ocultar-lhe a mágoa. — Bem, claro, mas...

— Eu não quero que você me leve.

— Tudo bem. Não há problema.

— Ao chegar a Londres, telefonarei para Agnes do aeroporto. Ela estará em casa com certeza; posso pegar um táxi, e ela ficará esperando por mim.

Era como se ela já houvesse partido, e como se cada um deles estivesse só. Ela estava sozinha no avião, sozinha em Londres, acossada pelo frio; sim, pois depois de San Antonio, o frio intenso de sua cidade natal, e suas tentativas de telefonar para Agnes de uma cabine telefônica. Seria então mais de meia-noite e Agnes estaria dormindo e acordaria lentamente. O telefone tocaria no apartamento vazio, e Agnes se levantaria e vestiria sua camisola, acendendo as luzes enquanto se conduzia até o aparelho para atender à ligação. E depois disso, Agnes lhe prepararia um banho quente, lhe arrumaria a cama e lhe faria beber um pouco de leite quente para que se aquecesse.

Mas, naturalmente, George não lhe podia conhecer os pensamentos.

— O que você fará quando chegar a Londres? Quero dizer, quando tudo isso tiver terminado e provavelmente você tiver esquecido? — perguntou ele.

— Não sei.

— Não tem planos?

Depois de alguns instantes, ela meneou a cabeça.

— Então os faça — disse ele, gentilmente. — Mas bons planos.

10

Decidiram que procurariam Pepe, o marido de Maria, e lhe perguntariam se poderia levar Selina ao aeroporto. Pepe não fazia serviço de táxi regular e formalizado, mas ocasionalmente ele limpava seu velho carro, livrando-o das palhas, das fezes de galinha e de inúteis velharias e bagatelas agropecuárias com que o lambuzava e o pejava, e transportava perdidos viajantes para onde quer que desejassem ir. George, dirigindo o carro de Francis, foi ao encontro de Pepe para lhe perguntar se lhes faria tal favor, e Selina, ficando só com Francis e Perla na Casa Barco, tratou de se preparar para a partida.

Não levou muito tempo para tanto. Ela tomou um banho e vestiu-se com as calças de George que Juanita havia tão adoravelmente encolhido e com a camisa listrada, calçando as sandálias que ela tinha comprado na mercearia de Maria. Seu fino vestido de jérsei já havia sido legado a Juanita como um pano de pó, e seu biquíni era tão pequeno que coube sem dificuldade no fundo de sua bolsa. Era tudo. Penteou os cabelos e colocou o seu casaco numa cadeira próxima; relutantemente, pois não queria conversar, saiu ao terraço, onde Francis se havia acomodado na longa cadeira de junco uma vez mais. Seus olhos estavam fechados, mas quando ouviu Selina se aproximar, ela os abriu e passou a observá-la em sua caminhada até o muro e nele sentar-se, de frente para ela.

— Tudo pronto? — perguntou Francis.

— Sim.

— Não levou muito tempo.

— Não tenho roupa alguma. Perdi minha bagagem. Foi enviada por engano para Madri.

— Esse tipo de coisa acontece freqüentemente. — Francis sentou-se e estendeu a mão para pegar o maço de cigarros. — Você fuma?

— Não, obrigada.

Francis acendeu um para si. — Espero que você não ache que eu esteja interferindo, expulsando-a daqui de alguma forma.

— Não. De qualquer jeito, eu teria de voltar. Quanto mais cedo eu chegar em casa, melhor.

— Você mora em Londres?

— Sim. — Esforçou-se para dizê-lo onde exatamente. — Em Queen's Gate.

— Que maravilha. Você gostou de sua visita a San Antonio?

— Foi muito interessante — disse Selina.

— Você achou que George fosse seu pai?

— Achei que havia a possibilidade de ser. Mas eu estava enganada.

— Você leu o livro dele?

— Não o li propriamente falando. Mas irei fazê-lo quando chegar em casa. Eu terei tempo então. Foi um grande sucesso — rematou.

— Oh, sim — disse Francis, aparentemente reduzindo o mérito do livro.

— Você não acha que foi bom?

— Sim, foi bom. Um livro atual e original. — Ela deu uma forte tragada no cigarro, e lhe fez cair as cinzas no piso golpeando-lhe a haste com leves toques da ponta de um dos dedos. — Mas ele não escreverá outro.

Selina franziu o rosto. — O que a faz pensar assim?

— Acho que ele não tem a necessária autodisciplina para se dedicar a um segundo livro.

— Disseram-lhe que está sofrendo de bloqueio de inspiração.

Francis riu. — Olhe, querida, fui eu quem lhe disse isso.

— Se você acha que ele não é capaz de escrever um segundo livro, por que lhe disse que ele estava sofrendo de bloqueio de inspiração?

— Oh, porque ele estava deprimido, e eu estava tentando reanimá-lo. George não precisa escrever. Ele tem lá o seu dinheiro, e a simples dedicação ao duro trabalho de escrever não vale a pena.

— Mas ele *tem* de escrever um outro livro.

— Por quê?

— Porque ele concordou em fazê-lo. Porque o editor está esperando que ele o faça. Em seu próprio benefício.

— Isso é besteira.

— *Você* não quer que ele continue escrevendo?

— O que eu quero ou o que eu não quero não tem valor algum. Estou apenas expondo o meu ponto de vista. Olhe, minha cara, eu possuo e administro uma galeria de arte. Lido o tempo todo com esses tipos de temperamento, esses artistas, e seus humores. Simplesmente não acho que George seja um artista criativo.

— Mas se ele não escrever, o que ele fará?

— A mesma coisa que fazia antes de escrever *Fiesta em Cala Fuerte*. Nada. É fácil não fazer nada em San Antonio; é fácil dizer "*mañana*" para tudo e para todos. — Ela sorriu. — Não fique tão escandalizada. George e eu temos o dobro da sua idade, e aos 40 anos algumas de nossas ilusões e de nossos lindos sonhos já não têm o vigor das idéias que compõem o rol do idealismo juvenil. A vida não precisa ser tão real ou tão séria quanto nos parece que deva ser aos dezoito anos... ou seja lá quantos anos você tenha...

— Tenho vinte — disse Selina, seu tom de voz subitamente eivado de frias modulações, e Francis satisfez-se reclinada na cadeira, a observá-la. Não estava mais receosa, como estivera quando a viu pela primeira vez, já que Selina estava indo embora; em meia hora, ela tomaria o caminho de casa. Seguiria para o aeroporto, para Londres, de volta para uma vida em Queen's Gate a respeito da qual Francis se contentava em manter completa ignorância.

O ruído do motor do Citröen retornando e o barulho das menos requintadas, metálicas fricções das engrenagens do calhambeque de Pepe romperam-lhe o embaraçoso silêncio. Selina se levantou. — O táxi chegou — disse ela.

— Ah, ótimo. — Francis apagou o cigarro com o pé no piso do terraço. — Tome, aqui está o dinheiro.

Selina mal podia suportar a idéia de ter de pegar o dinheiro, mas ele estava sendo contado na palma de sua mão quando George cruzou o interior da casa e juntou-se a elas no terraço. Ele se sentia tão constrangido quanto Selina com toda aquela situação, porém salientou que ela iria precisar de libras esterlinas em Londres, de forma que Francis assinou um dos seus dois cheques especiais e o entregou a Selina.

— Você pode descontá-lo no aeroporto.

— É muito gentil de sua parte.

— Oh, é um prazer — disse Francis. — Não precisa agradecer.

— Eu... eu prometo que lhe pagarei...

— Sim, tenho certeza disso.

— Onde está a sua bolsa? — perguntou George.

— Lá dentro.

Ele foi buscá-la, e foi ele quem pegou o dinheiro de Selina e o guardou num seguro escaninho no interior da bolsa. —Não deixe que o levem novamente. Eu não agüentaria o choque. — George disse isso em tom de brincadeira, mas ficou imediatamente constrangido diante de Selina, pois lhe deu a impressão de que ele não suportaria a idéia de uma vez mais tê-la como um fardo. Então indagou, rapidamente, para despistá-la:

— Você está levando o passaporte?

Ela acenou afirmativamente com a cabeça.

— Tem certeza?

— Sim, claro.

—Acho que talvez seja melhor você partir. Não temos tanto tempo de sobra assim...

Sentia-se como se estivesse sendo compelida, gentil mas firmemente, a partir. Nunca mais voltaria. Acompanhou George lentamente pela casa adentro. Ele pegou o casaco bege dela, e moveu-se para o lado, como que para deixá-la tomar a frente. Atrás dela, no vão da porta do terraço aberta, Francis detinha-se de pé a observar.

— Pepe está esperando — disse George gentilmente.

Selina engoliu em seco. Depois disse:

— De repente, comecei a sentir sede. Eu ainda teria tempo de beber algo...?

— Mas é claro. — Ele começou a caminhar em direção ao poço, mas Selina disse:

— Não. Eu prefiro tomar uma soda; é mais refrescante e mais gelada. Não se incomode. Eu mesma posso pegá-la. Há algumas garrafas na geladeira. Não vou demorar.

Eles aguardaram enquanto ela foi buscar a bebida, e a observaram entrar no balcão da cozinha e inclinar-se para abrir a porta da geladeira e pegar uma garrafa aparentemente muito gelada. Por rápidos instantes, Selina subtraiu-se-lhes às vistas, e logo depois se aprumou novamente, com a garrafa na mão. Ela a abriu e a despejou num copo, bebendo-a tão rapidamente que George achou que ela iria explodir.

— Não, não vou explodir. — Ela depôs o copo vazio no balcão e subitamente sorriu. Foi como se a soda tivesse solucionado todos os seus problemas. — Estava deliciosa.

Saíram à rua e foram recebidos por Pepe e pelos raios de sol. Pepe pegou o casaco de Selina e o colocou cuidadosamente sobre o banco traseiro, o qual ele havia limpado apressadamente, e Selina se despediu de Francis e a agradeceu pela sua ajuda, e depois se voltou para George. Ela não lhe estendeu a mão e ele não tentou beijá-la. Disseram adeus sem se tocar, e ele se sentiu como se estivesse sendo dilacerado.

Ela entrou no velho carro, tensa e enternecida, e terrivelmente vulnerável. Pepe sentou-se no banco do motorista logo depois, e George lhe deu uma meia dúzia de instruções de última hora, e ameaçou impor-lhe severas represálias se algo de errado acontecesse com ela. Pepe entendeu e acenou positivamente com a cabeça, e ainda lhe abriu um grande sorriso vazio enquanto engatava a primeira marcha.

O carro arrastou-se barulhentamente pela colina acima, e George o ficou observando afastar-se, mantendo ainda por muito tempo os olhos fixos no ponto da montanha em que o carro se lhe furtou às vistas, pois lhe podia ouvir, apesar da distância, o barulho do motor.

Houve uma grande festa naquela noite no hotel Cala Fuerte. Não havia sido planejada, mas se tornou animada, crescendo e se expandindo, como normalmente acontece com as festas em geral, e atraiu mais de doze tipos de nacionalidades, tendo o respaldo de uma espantosa quantidade de bebida. Todos se divertiram muito. Uma moça gorda decidiu que poderia dançar em cima de uma das mesas, mas acabou caindo nos braços do seu namorado e lá permaneceu, adormecida, durante o resto da noite. Um dos barqueiros do porto apareceu com o seu violão, e uma mulher francesa simulou burlescamente alguns passos de dança flamenca, a qual pareceu a George a coisa mais engraçada que ele já tinha visto na vida. Por volta de 1h, contudo, ele anunciou que iria retirar-se para a Casa Barco. Ouviu, em razão disso, alaridos de intensos protestos, motejantes acusações de ser um desmancha-prazeres, queixosas alegações de que era a sua vez de pagar as bebidas, mas se manteve resoluto, pois sabia que precisava sair dali antes que parasse de rir e começasse a chorar. Não havia nada pior do que um bêbado piegas e choramingueiro.

Ele se levantou, afastando sua cadeira da mesa com a mão fixa no espaldar, e sentiu-se ferir os tímpanos pela devastadora modulação de uma voz conhecida. — Eu também vou — disse Francis.

— Você disse que iria ficar aqui. Lembra-se?

— Eu o levarei para casa de carro. Para que caminhar quando se tem um carro confortável e em perfeito estado parado na porta?

Ele aquiesceu, pois era mais simples e menos cansativo do que deixar que fizesse uma cena. Lá fora, uma sulina e calorosa noite se exibia com a prateada purpurina do manto de um céu estrelado. O Citröen estava estacionado no meio da praça, e enquanto eles caminhavam em sua direção, Francis largou-lhe as chaves na mão de George e disse:

— Você dirige.

Ela mesma era perfeitamente capaz de dirigir, mas de vez em quando gostava de transmitir desamparo e feminilidade. Assim, George pegou a chave da ignição dentre as várias presas ao chaveiro e sentou-se ao volante.

Ocorreu-lhe a noção de que, enquanto o seu ridículo carro de rodas amarelas era simplesmente um meio de se locomover pela ilha, o Citröen de Francis, potente e veloz, era de alguma forma uma voluptuosa extensão de sua personalidade hedonista. Sentava-se ela agora ao seu lado com o rosto empinado para as estrelas, seu bronzeado pescoço enfiado na amplamente decotada gola em V de sua blusa de abotoar. George sabia que ela estava esperando ser beijada, mas ele apenas acendeu um cigarro e depois ligou o motor, e ela perguntou:

— Você não vai me beijar?

— Não posso beijá-la. Não sei onde você esteve — disse George.

— Por que você leva tudo na brincadeira?

— É o meu britânico mecanismo de defesa.

Ela olhou o relógio, bem visível sob a luz do luar e das estrelas. — É 1h. Você acha que ela já chegou a Londres?

— Sim, acho.

— Queen's Gate. Não é exatamente um lugar onde poderíamos pagar o aluguel, querido.

Ele começou a assobiar, baixinho, uma melodia que lhe vinha importunando a noite inteira, lançando-lhe notas de insistente perseguição na parte posterior do cérebro.

— Você não está preocupado com ela, está? — perguntou Francis.

— Não, não estou. Contudo, deveria tê-la levado ao aeroporto, não ter deixado que ela fosse levada naquela máquina de costura sobre rodas que Pepe chama de carro.

— Ela não queria que você a levasse. Se insistisse, ela o acometeria com escandalosas lamúrias, e vocês ficariam muito constrangidos depois. — Ele não tentou redargüir, e ela riu:

— Você é como um peixe teimoso que não morde a isca.

— Estou bêbado demais para morder a isca.

— Vamos para casa.

Ele guiou de volta para casa, ainda assobiando aquela maldita melodia. Quando chegaram à Casa Barco, George desligou o motor e saiu do carro. Francis saiu também. Como se tivesse sido planejado, ela entrou na casa juntamente com ele. O ambiente estava fresco e escuro, mas ele acendeu logo as luzes e foi, automaticamente, servir-se um drinque, pois se não bebesse nada, morreria, ou se jogaria na cama e explodiria em lágrimas. Contudo, não mais se chamaria George Dyer se fizesse essas coisas na presença de Francis.

Ela se atirou, completamente à vontade, no sofá, colocando os pés sobre um dos braços, e apoiando a cabeça de cabelos encaracolados numa almofada azul-celeste. Ele tateou o caminho e preparou os drinques, cambaleante, deixando cair o abridor e as pedras de gelo, e Francis disse:

— Essa melodia que você está assobiando desde que saímos do Cala Fuerte é uma verdadeira droga. Você não conhece outra?

— Eu nem mesmo conheço a letra.

— Bem, pare de assobiá-la então.

A cabeça dele latejava intensamente, dando-lhe a sensação de que estava cheia de poças d'água e de gelo derretendo-se, e ele não conseguia encontrar um jeito de secar tanta umidade. Pegou os drinques e os levou até onde Francis se reclinava. Recebeu o seu copo da mão de George, mantendo os olhos fixos o tempo todo no rosto dele. Ele se sentou próximo à lareira, com as costas voltadas para o vão sem lume, segurando o copo com ambas as mãos.

— Sabe, querido, você deve estar furioso comigo — disse ela, num tom de voz sereno.

— Estou?

— Claro que está.

— Por quê?

— Porque eu me livrei da sua namoradinha. E porque você sabe que, no fundo, você mesmo era quem deveria ter feito isso. E sem demora.

— Eu não poderia ter comprado a passagem aérea sem dinheiro.

— Isso, se você não se importa que eu diga, é a desculpa mais inconsistente que um homem pode apresentar.

Ele baixou as vistas sobre o copo. — Sim — disse afinal. — Talvez seja.

A melodia continuava insistentemente a enfileirar notas através de sua mente. Depois de alguns instantes, Francis disse:

— Quando você saiu à procura de Pepe, e enquanto aquela criança se preparava para partir, eu dei uma espiada na sua escrivaninha. Você não me parece um escritor muito produtivo.

— Não, não sou. Não escrevi uma única palavra.

— Você respondeu à carta do caro sr. Rutland?

— Não. Também não fiz isso. Mas — acrescentou com uma pitada de malícia — consultei um especialista e ele me disse que estou sofrendo de bloqueio de inspiração.

— Bem — disse Francis, com certa satisfação — finalmente você me deixou entrever o lado mesquinho de sua personalidade. E já que está exibindo as suas garras, vou eu exibir as minhas também. Sabe, querido, acho que você jamais escreverá um segundo livro.

— O que a faz ter tanta certeza?

— Você mesmo. Apenas o seu jeito de ser. Escrever é um trabalho duro, e você é um daqueles clássicos, inúteis expatriados ingleses que não são capazes de fazer nada melhor do que ninguém. — Ele reconheceu isso estampando no rosto um significativo semblante de aprazimento, e Francis se pôs sentada, encorajada, pois não tinha nadado para morrer na praia e fazê-lo sorrir. — George, se você não quer ir para Malagar, se você não gosta de touradas, então eu também não quero ir. Mas por que não saímos por aí juntos? Poderíamos ir à Sardenha no *Eclipse*, ou irmos por terra até a Austrália e alcançá-la por um outro meio de transporte qualquer, ou... atravessarmos o Deserto de Gobi a camelo...

— Por gentileza, senhores, bagagem na corcova da frente.

— Você está levando tudo na brincadeira novamente. Eu falo sério. Somos livres e temos todo o tempo do mundo.

Por que esfolar as mãos e o cérebro numa máquina de escrever? Há alguma coisa no mundo a respeito da qual você possa escrever realmente bem?

— Não sei, Francis.

Ela se deixou cair de volta sobre as almofadas. Havia terminado de tomar o drinque, e abandonou o copo vazio ao seu lado, no assoalho. Jazia no sofá com os braços e as pernas indolentemente largados, e era sedutora; vestia o corpo e tratava a carne com a força material do dinheiro, trajando o espírito com sensuais ouropéis de sofisticação compondo aos olhos dele um quadro de irresistível intimidade. — Eu o amo. Você precisa saber disso.

Não parecia haver razão para que ele não fizesse amor com ela. Ele largou o copo, e foi-se sentar ao lado dela, tomá-la em seus braços, e beijá-la como se quisesse se afogar. Sua feminina boca emitia úmidos, agradáveis estalidos, enquanto seus dedos se enroscavam nos cabelos dele. George afastou sua boca da de Francis e roçou sua bochecha pelos retilíneos traços do queixo dela, fazendo-a sentir a aspereza da barba arranhando-lhe a pele, e em seguida ela ocultou o rosto no ombro dele e seus braços envolveram o pescoço de George como se fosse um torno.

— Você me ama? — perguntou ela, mas ele não lhe respondeu. Assim, ela tentou de outra forma:

— Você gosta de mim? Você me quer?

Ele tirou os braços dela do seu pescoço, desvencilhando-se do seu enlaço, e permaneceu sentado junto a ela, segurando-lhe os pulsos, como se os dois estivessem brigando.

Ela começou a rir. Sua plasticidade moral e seu bom humor eram dois dos componentes do seu caráter dos quais George sempre gostara. — É, acho que você está bêbado mesmo.

Ele se levantou e foi procurar os cigarros. Francis se levantou do sofá também, e correu as mãos por entre os cabelos. — Preciso recompor-me antes de voltar para o Cala Fuerte. Você sabe, Rudolfo é muito antiquado com relação a muitas coisas. Importa-se se eu usar o seu quarto?

— Vá em frente — respondeu George, e acendeu-lhe as luzes do pavimento superior.

Ela subiu as escadas correndo, os saltos de suas sandálias sapateando no piso de madeira dos degraus. Ela começou a cantar a canção que estivera atormentando a mente de George a noite inteira, mas ainda sem incluir na melodia o concurso da letra, e pouco depois, como se alguém tivesse desligado um rádio, a amofinante toada foi repentinamente interrompida, e Francis manteve-se em silêncio. O silêncio aguçou a atenção de George, como se na verdade ela houvesse começado subitamente a gritar. Ele deteve seus irrequietos movimentos e fitou as orelhas, como que um cão desconfiado.

Logo depois, Francis desceu as escadas, com uma expressão no rosto que ele não conseguiu decifrar. — O que houve? Não achou o pente? — perguntou ele, parvamente.

— Não — respondeu Francis. — Eu não procurei. Não fui além da cama...

— Cama? — exclamou ele, ignorando completamente a situação.

— Isso não seria uma brincadeira? Não seria mais um exemplo do seu inigualável senso de humor britânico?

Ele percebeu então, espantado, que ela estava realmente aborrecida. Por trás de um tom de voz cuidadosamente controlado, detinha-se a fúria arrasadora de uma iminente explosão de sentimentos.

— Francis, não sei do que você está falando.

— A menina. Sua filha. Selina. Ou seja lá como você gosta de chamá-la. Você sabe onde ela está. Não é em Londres. Nem mesmo no aeroporto de San Antonio. Ela está lá em cima... — disse, apontando para o andar de cima com o dedo trêmulo, e o seu controle emocional, assim como ocorre com uma tira de elástico excessivamente esticada, atingiu o seu ponto de ruptura e partiu-se abruptamente. — *Na sua cama!*

— Não acredito.

— Bem, então suba e veja por si mesmo. *Suba e dê uma olhada.* — Ele nem se moveu. — Eu não sei o que está acontecendo aqui, George, mas eu não emprestei uma considerável soma em pesetas apenas para encontrar essa vagabundinha na sua cama novamente...

— Ela não é vagabunda.

— ... e se você for tentar me dar algum tipo de explicação, espero que seja muito convincente, pois não irei engolir um segundo balde de lavagem contendo uma mistura de letrinhas de macarrão podre relatando uma historinha de bagagem perdida e de uma pobre moça que achava que você era seu paizinho, o qual nunca conhecera...

— Mas foi tudo verdade.

— Verdade? Olhe, seu cretino, a quem você acha que está enganando? — Ela gritava com ele, e isso era uma coisa que o deixava louco.

— Eu não sabia que ela tinha voltado...

— Bem, então expulse-a daqui agora...

— Não vou fazer uma coisa dessas...

— Está bem. — Francis pegou a bolsa furiosamente.

—Se você está disposto a coabitar com essa vagabundinha de falinha mansa, para mim está tudo bem...

— Cale a boca.

— ... mas não me envolva num complicado esquema para proteger ambas as suas reputações, pois no que me diz respeito, simplesmente não tenho o mínimo interesse em protegê-las. — Ela se dirigiu para a porta e a abriu impetuosamente, voltando-se para ele para lançar-lhe no rosto um insulto final, e assim procedeu, mas o efeito foi ligeiramente prejudicado pela entrada de Perla, empertigada e digna. Ela estivera do lado de fora da porta esperando que alguém a deixasse entrar, e quando Francis fez exatamente isso, ela entrou, emitindo um miado de gratidão e reconhecimento.

— Acho melhor você ir — George disse, tão calmamente quanto pôde, e Francis devolveu:

—Não se incomode; eu já fui! —Deteve-se ainda para dar um violento chute em Perla, e depois fechou a porta com tanta força que a casa inteira pareceu tremer.

Em poucos segundos, o silêncio da noite foi interrompido pelo barulho do Citröen sendo abruptamente acelerado e guiado ladeira acima em primeira marcha e com uma velocidade tal que fez George comprimir apreensivamente os dentes.

Ele se inclinou para pegar Perla. Ela parecia magoada, mas felizmente não aparentava ter sofrido lesões físicas. Ele a acomodou gentilmente na sua almofada favorita no sofá. Depois disso, ouviu pequenos ruídos de movimento vindo do andar superior, os quais o fizeram erguer o olhar. Selina detinha-se de pé próximo ao gradil da sacada, com as mãos apoiadas no corrimão, observando-o. Ela estava usando uma camisola branca com listras azuis contornando o pescoço, e perguntou ansiosamente:

— Perla está bem?

— Sim, ela está bem. O que você está fazendo aqui?

— Eu estava na cama dormindo.

— Vista uma outra coisa e desça até aqui.

Momentos depois, ela desceu, descalça, mas amarrando as tiras do ridículo *peignoir* branco de seda, que combinava com a camisola.

Ele franziu a testa e perguntou:

— Onde você arranjou essas coisas?

Selina cruzou o assoalho em sua direção. — Minha bagagem havia chegado. De Madri. — Ela sorriu, como se ele devesse ficar contente com isso, e ele viu-se forçado a usar de sarcasmo.

— Então você chegou a ir ao aeroporto?

— Oh, sim.

— E o que aconteceu dessa vez? O vôo foi cancelado? Não havia lugar disponível no avião? Pepe teve algum pneu furado?

— Não, nada disso aconteceu. — Seus olhos estavam tão arregalados que o azul da íris engolfou-se no límpido branco da esclerótica. — Perdi o meu passaporte.

— Você *o quê*? — disse, proferindo as palavras, para sua irritação, com um ganido de incredulidade.

— Sim, parece inacreditável. Lembra-se de que você me perguntou, antes de eu partir, se estava com o meu passaporte? Bem, ele estava na minha bolsa então, e eu não me lembro de tê-la aberto novamente, mas quando cheguei ao aeroporto e estava comprando a passagem e providenciando outras coisas mais, eu a abri. E ele havia sumido.

Ela deteve os olhos no rosto dele para avaliar o impacto de mais um contratempo. A reação de George foi recostar-se no encosto do sofá e manter uma calma que a Selina pareceu surpreendente.

— Entendo. Mas aí o que você fez então?

— Bem, eu dei queixa ao membro da *Guardia Civil* naturalmente.

— E o que o membro da *Guardia Civil* fez?

— Oh, ele foi muito gentil e compreensivo. E depois de algum tempo, achei que seria melhor voltar para cá e esperar até que eles o encontrassem.

— Eles quem?

— Os membros da *Guardia Civil.*

Mantiveram-se em silêncio por alguns instantes, enquanto se fitavam mutuamente. Então George disse:

— Selina.

— Sim?

— Você sabe o que o pessoal da *Guardia Civil* faz com as pessoas que perdem o passaporte? Eles as metem na prisão. Eles as internam como prisioneiros políticos. Eles as deixam apodrecer em calabouços até que seus passaportes sejam encontrados.

— Ué, eles não fizeram isso comigo.

— Você esta mentindo, não está? O que você fez com o seu passaporte?

— Não sei. Eu o perdi.

— Você o deixou no carro de Pepe?

— Estou-lhe dizendo, eu o perdi.

— Olhe, a Espanha não é um lugar em que se pode brincar com coisas como passaportes.

— Não estou brincando.

— Você falou com Pepe a respeito do passaporte?

— Não sei falar espanhol. Como eu poderia dizer-lhe?

— Foi com ele mesmo que você voltou para cá?

Ela ficou embaraçada, mas respondeu, corajosamente:

— Sim.

— Quando você chegou aqui?

— Por volta das 11h.

— Nós a acordamos quando chegamos? — Ela respondeu com um aceno positivo da cabeça. — Então você ouviu a maior parte da nossa conversa?

— Bem, eu até tentei evitar, enfiando a cabeça por debaixo dos lençóis, mas a sra. Dogen fala muito alto. Sinto muito por ela não gostar de mim. — Da parte dele, não havia o que comentar com relação a isso, e ela prosseguiu, num sociável tom de voz cujo mérito bem que poderia ser atribuído à sua avó. — Você vai se casar com ela?

— Sabe de uma coisa? Você me faz ficar doente.

— Ela é casada?

— Não. Mas já foi.

— O que aconteceu com o marido dela?

— Não sei... Por que eu deveria saber? Talvez ele esteja morto.

— Ela o matou?

As mãos dele pareceram, repentinamente, assumir personalidade própria e independente. Elas coçavam com o desejo de pegar Selina e sacudi-la até que os dentes dela se entrechocassem, de golpear-lhe os ouvidos com as duas palmas ao mesmo tempo, e de arrancar-lhe a presunçosa fisionomia do rosto. George as enfiou no bolso, e cerrou os punhos oculta e refreadamente, lutando contra esses instintos puramente primitivos, mas Selina parecia ingenuamente ignorar a lava que fervilhava intensamente no vulcão das entranhas dele.

— Suponho que tenha sido um tanto constrangedor para ela encontrar-me aqui, mas ela não quis ficar e ouvir as minhas explicações. Ela simplesmente chutou a pobre Perla... Teria sido muito mais justo se tivesse chutado a mim. — Ela fitou George direto nos olhos, e ele se sentiu abalar pela frieza dela. — Ela provavelmente deve conhecê-lo muito bem. Quero dizer, falando com você do jeito como falou. Do jeito como falou esta noite. Ela queria que você fizesse amor com ela.

— Você está procurando lenha para se queimar, Selina.

— E ela acha que você jamais escreverá um outro livro.

— Talvez não esteja errada com relação a isso.

— Você não vai nem ao menos tentar?

— Meta-se com a sua maldita vida — disse George por entre os dentes, lentamente, mas nem assim ela se deteve.

— Me parece que você está com medo de fracassar antes mesmo de tentar. A sra. Dongen estava certa; você saiu de um molde clássico; você é um daqueles inúteis expatriados ingleses (aqui Selina o surpreendeu com um sobressaltante arremedo do sotaque de Francis) que não sabe fazer nada adequadamente. Acho que seria uma pena desfazer essa imagem. E, afinal de contas, para que mudar as coisas? Você não tem necessidade de escrever. Esse não é o seu meio de vida. E quanto ao sr. Rutland, o que há de mais em se quebrar uma promessa? Mantê-la não leva a nada. Você pode descumprir o que lhe prometeu tão facilmente como quando rompeu o noivado com a moça com quem você iria casar-se.

Antes de George ter podido pensar, a mão direita dele lhe havia escapado da prisão do bolso e tinha esbofeteado o rosto dela. A força do golpe ressoou tão alto que ele teve a impressão de ter ouvido o agudo estampido de um saco de papel sendo estourado. Seguiu-se um doloroso silêncio. Selina o fitou, sem poder acreditar no que acabara de acontecer, mas, curiosamente, do seu semblante não parecia transparecer qualquer ressentimento, pelo menos enquanto George esfregava na perna a palma da mão latejante e formigante. Ele se lembrou de que não havia fumado desde a recente discussão com Francis. Foi pegar o maço de cigarros, retirou-lhe um e o acendeu, e se espantou ao perceber que as suas mãos estavam tremendo. Quando finalmente resolveu voltar-se para ela, viu, horrorizado, que ela estava tentando evitar o choro. A perspectiva de vê-la chorar, e as subseqüentes recriminações e desculpas, estavam acima do que ele poderia suportar. Além disso, já era tarde demais para desculpas. Disse, impacientemente, mas sem deixar de tonalizar as palavras de alguma gentileza:

— Ah, vamos logo, chore! — E quando ela lhe deu as costas e disparou em direção ao mezanino, sob o vigor das longas e apressadas pernas, e envolta na branca seda farfalhante dos seus trajes de dormir, ele acrescentou:

— E não bata a porta — mas suas palavras soaram apenas como uma piada sem graça, e a porta foi fechada do jeito que merecia.

11

Já era tarde quando George acordou. Ele pôde perceber isso pela altura em que o sol se encontrava, pelos seus raios que se refletiam na água do mar e lhe iluminavam o teto da sala como grandes lantejoulas de prateada luz, e pelos ruídos de suave varredura, que indicavam que Juanita estava limpando o terraço. Com os sentidos ainda em processo de preguiçoso despertar, trazia, porém, o sistema nervoso tensamente mobilizado contra a ressaca que ele sabia instintivamente que iria acometê-lo. Estendeu o braço para pegar o relógio, e viu que eram 10h30. Não dormia assim havia anos.

Moveu a cabeça cuidadosamente de um lado para o outro, antecipando a primeira estocada mórbida de sua bem-merecida agonia. Nada aconteceu. Abusando da sorte, tentou revirar os olhos e a sensação não lhe foi nem um pouco dolorosa. Descobriu-se, colocando o cobertor vermelho e branco de lado, e pôs-se sentado cautelosamente. Era um milagre. Sentia-se perfeitamente normal; mais do que normal: estava alegre, desperto e cheio de energia.

Depois de pegar suas roupas, foi tomar um banho e barbear-se. Enquanto raspava os dois lados da face, o queixo e o pescoço com a lâmina cortante, sentiu as profundezas da memória despejando-lhe nos recessos do cérebro as notas musicais da canção da noite anterior, mas dessa vez acompanhada da letra. Ele percebeu, tarde demais então, por que Francis havia ficado tão irritada com ele ao ouvi-lo assobiá-la sem parar.

Eu me acostumei com o seu rosto.
Ela quase consegue alegrar o meu dia.

— *Bem* — perguntou ele à sua envergonhada imagem refletida no espelho — *o quão maçante você consegue ser?* — Mas quando acabou de se vestir, desembalou seu velho toca-discos, tirou a poeira de um dos seus discos de Frank Sinatra, e o colocou para tocar.

Juanita havia terminado de limpar o terraço, e agora, ao ouvir a música, largou a vassoura e as escovas, e entrou na casa, seus pés morenos e úmidos deixando marcas no assoalho ladrilhado.

— *Señor* — disse ela.

— Juanita! *Buenos días.*

— O *señor* dormiu bem?

— Bem demais, talvez.

Eu me acostumei com a canção.
Ela a assobia noite e dia.

— Onde a *señorita* está?

— Ela saiu e foi para o barco do *señor*, para nadar.

— Como ela chegou lá?

— Ela pegou o barquinho e remou até ele.

George ergueu os sobrolhos, ligeiramente surpreso.

— Bem, que bom para ela. Juanita, temos café pronto?

— *No, señor.* Vou fazer um pouco.

Ela foi retirar um balde d'água do poço, e George sentiu que estava perfeitamente bem para fumar um cigarro. Pegou um e o acendeu, e em seguida perguntou a Juanita, cautelosamente:

— Juanita?

— *Sí, señor.*

— Uma *americana* se hospedou no Hotel Cala Fuerte ontem à noite...?

— *No, señor.*

Ele franziu o semblante, intrigado. — O que você quer dizer exatamente com isso?

Juanita estava na cozinha, colocando a chaleira no fogão para ferver-lhe a água do café. — Ela não ficou no hotel, señor. Ela guiou de volta para San Antonio ontem à noite mesmo. Ela não chegou a usar o quarto do hotel. Rosita disse a Tomeu e Tomeu disse a Maria, e...

— Eu sei; Maria disse a você. — Mas a notícia que Juanita lhe acabara de dar o encheu de uma espécie de embaraçoso alívio. Pensar que Francis pudesse ter voltado para San Antonio sob a escuridão da noite como um foguete desgovernado naquele carro potente e perigoso o fez tremer de apreensão. Desejou piedosamente que nada de grave lhe houvesse acontecido, que ela não tivesse sofrido nenhum acidente, que não estivesse, naquele momento, presa em algum barranco com o carro em cima dela.

Com a fisionomia de um homem cercado de problemas por todos os lados, ele coçou o pescoço, e instantes depois resolveu ir até o terraço, com o binóculo na mão, procurar sua outra dor de cabeça. Ele o levou aos olhos e focalizou o *Eclipse*, mas, embora o bote arfasse tranqüilamente junto à proa, não havia sinal de Selina.

Era, apesar de tudo, um belo dia. Tão ensolarado

quanto o dia anterior, porém, menos quente, e com a maré subindo suavemente. Uma brisa abnegada brandia as ramagens dos pinheiros, com os seus rebentos, para fustigar a própria essência e verter do autoflagelo os humores etéreos com que impregnar o ar de olorosos e imponderáveis perfumes, enquanto abaixo dele pequeninas ondas se precipitavam doce e alegremente sobre as rampas do que havia sido o estaleiro. George se sentia pleno de alegria com cada perspectiva. Céu azul, mar azul, o *Eclipse* balançando serenamente sob o amparo das amarras, a alvura do terraço, os gerânios vermelhos, tudo caramente familiar, e além disso, aquela manhã, a qual o visitara na cama e o carregara nos braços até o terraço para lhe ofertar a beleza de um dia fresco e mágico. Perla sentava-se na extremidade do cais, amimando o estômago com um delicioso acepipe de sobras de peixe que ela tinha encontrado não se sabia onde. Francis havia retornado para San Antonio, e Juanita estava lhe preparando um bule de café. Tentou, mas não conseguiu, lembrar-se da última vez em que se havia sentido tão bem, tão esperançoso ou tão otimista. Era como se estivesse estagiando durante meses no árduo, inconsciente aprendizado da trevosa escuridão de uma tempestade de conflitos afetivos e psicológicos sempre iminente, mas agora tal tempestade se havia dissipado, e as pressões que o sitiavam naquele turbilhão tenebroso tinham sido levadas pelo vendaval que a acolitava, e ele podia respirar livremente outra vez.

Dizia para si mesmo que era um canalha, que deveria estar chafurdando numa pocilga de remorso e autocondenação, mas sua sensação de bem-estar físico desacatava todos os veredictos do seu foro íntimo. Desde que saíra ao terraço, estivera apoiando-se o tempo todo, com as mãos espalmadas, no muro que o guarnecia, e depois de algum tempo, quando se aprumou, viu que as palmas de suas mãos se haviam branqueado com a caiação. O primeiro impulso que o acometeu foi o de limpá-las na sua calça *jeans*, mas de repente sua atenção viu-se atraída pelas linhas curvilíneas de suas impressões digitais, delineadas pela alva substância da caiação, e as quais se lhe afiguraram tão delicadamente tracejadas quanto as linhas de um microscópico mapa. Um mapa de si mesmo, único, assim como o tipo de vida que ele havia levado, e como as coisas que ele estava fazendo agora, eram únicas.

Não se sentia particularmente orgulhoso de si mesmo. Ele havia, durante muitos anos, ferido e ofendido muitas pessoas, e na noite anterior esse tipo de atitude havia atingido culminâncias imprevistas, e ele agora não suportava nem mesmo rememorar o que tinha acontecido para tentar fazer uma espécie de reflexão. Mas nada disso podia diminuir-lhe o exultante senso de identidade que lhe iluminava a mente com mais intensidade naquele momento.

Eu me acostumei com o seu rosto.

A canção acabou e ele entrou em casa para desligar o toca-discos. Enquanto lhe fechava a tampa, disse:

— Juanita.

Ela estava colocando café solúvel na caneca dele.

— *Señor*?

— Juanita, você sabia que Pepe, o marido de Maria, havia levado a señorita ao aeroporto ontem à tarde?

— *Sí, señor* — respondeu Juanita, mas sem olhar para ele.

— Ele lhe disse que a tinha trazido de volta novamente?

— *Sí, señor*. A vila inteira sabe disso.

Era inevitável, e George suspirou, mas prosseguiu com as perguntas.

— E Pepe disse que a *señorita* tinha perdido o passaporte?

— Ele não sabia que ela o havia perdido. Sabia apenas que ela não estava com ele.

— Mas ela informou aos membros da *Guardia Civil* do aeroporto que o havia perdido?

— Não sei, *señor*. — Ela despejou-lhe água quente na caneca.

— Juanita... — Por ela não ter se virado, George pousou a mão em seu antebraço, e ela virou o rosto na direção dele, e para o seu espanto ele viu que ela estava rindo dele, seus olhos escuros brilhando de prazer. — Juanita... a *señorita* não é minha filha.

— *No, señor* — disse Juanita, recatadamente.

— Não me diga que você já sabia?

— *Señor* — ela deu de ombros — Pepe achava que ela não estava se comportando como sua filha.

— E como ela estava se comportando?

— Ela parecia muito infeliz, *señor*.

— Juanita, ela não é minha filha, mas apenas uma jovem prima.

— *Sí, señor*.

— Você dirá a Maria? Para que ela diga a Tomeu, e para que talvez Tomeu diga a Rosita, para que Rosita diga a Rudolfo...? — Ambos estavam rindo. — Eu não menti, Juanita. Mas também não disse a verdade.

— O *señor* não precisa se preocupar. Não importa se ela é sua filha ou sua prima... — Juanita deu de ombros expressivamente, como se a questão fosse banal demais para maiores considerações. — Para Cala Fuerte, o *señor* é um amigo. Nada mais importa.

Tal eloqüência não era comum em Juanita, e George ficou tão enternecido que quase a beijou, mas ele sabia que isso embaraçaria enormemente tanto ele quanto ela. Por isso, resolveu encerrar o assunto dizendo que estava com fome, e, manifestando-lhe afeto de uma forma indireta, juntou-se a ela na cozinha e deu uma espiada no recipiente do pão, procurando algo satisfatório, que pudesse comer com manteiga e geléia de damasco.

Como sempre, o recipiente estava cheio, mas apenas a metade de cima havia sido reabastecida com pão novo, e a parte de baixo continuava com pão velho. George disse, admoestatoriamente:

— Juanita, isto está muito sujo. O pão no fundo parece bolorento e azulado. — E para tentar provar o seu ponto de vista, ele virou o recipiente de cabeça para baixo e despejou todo o seu conteúdo no assoalho. O último pedaço de pão velho caiu no piso da cozinha, e depois a lâmina de papel branco com que Juanita tinha forrado o fundo do pote, e finalmente, uma espécie de fina caderneta azul-escura.

Deixaram-na jazer no piso por alguns instantes enquanto se fitavam interrogativamente, cada qual achando que a responsabilidade cabia àquele que os seus olhos podiam ver à frente.

— O que é isso?

George a pegou, e a revirou em suas mãos, para examiná-la. — É um passaporte. Um passaporte britânico.

— Mas a quem ele pertence? — perguntou Juanita.

— Acho que à *señorita*.

* * *

A idéia era começar a história, não pelo início da viagem, mas pelo meio — pela semana em que o *Eclipse* havia sido ancorado no porto de Delos. E então ele se reportaria ao início da viagem para relatar, por meio de uma série de recapitulações dos primeiros lances interessantes, como a viagem havia tomado forma, como tinha sido planejada antes de ser empreendida. As teclas da máquina de escrever não pareciam golpear uma folha de papel, mas uma almofada, com o seu maquinismo trabalhando suave e harmoniosamente, cada peça concorrendo diligentemente para transfundir-lhe a datilografia em vibrantes poemas de indelével aventura, mobilizando docemente suas mecânicas sinergias como um motor primorosamente regulado. Selina ainda estava nadando, e Juanita se encontrava na lavanderia arrancando a sujeira dos lençóis de George com muito esforço e bastante sabão, e cantarolando sem parar uma popular canção romântica local, contribuindo, juntamente com o barulho da máquina, para impedir que ele ouvisse uma pessoa que estava batendo-lhe à porta.

Era uma batida muito discreta e ele realmente não podia ouvi-la, em face do barulho da máquina; porém, depois de algum tempo, a porta foi aberta, e isso finalmente conseguiu chamar-lhe a atenção, fazendo com que erguesse o olhar e mantivesse os dedos suspensos sobre as teclas, na prorrogada iminência de transformar golpes em idéias.

O homem que lá se detinha era jovem, alto e muito bem-apessoado. Usava um terno, traje comumente usado pelos homens de negócio, e trazia a gola da camisa bastante alva e engomada, e usava uma gravata. Apesar de tanta roupa, conseguia parecer admiravelmente asseado e refrescado. — Desculpe incomodá-lo, mas bati à porta e ninguém respondeu. Esta é a Casa Barco?

— Sim, é.

— Então você deve ser George Dyer.

— Sim, sou... — George se levantou.

— Meu nome é Rodney Ackland. — Ele pareceu obviamente achar que a conversa não deveria prosseguir sem uma apresentação formal, pois cruzou a extensão da sala para apertar a mão de George. — Como vai? — George considerou-lhe o aperto de mão firme. Os olhos, penetrantes, sinceros. Uma pessoa plenamente confiável. E logo em seguida, depois de uma indecorosa reflexão, achou que ele provavelmente seria uma pessoa tremendamente maçante.

— Acredito que Selina esteja hospedada aqui?

— Sim, está. — Rodney passeou o olhar pelo recinto, exibindo no rosto expressões de ligeira interrogação. — Ela está nadando neste momento — acrescentou George.

— Entendo. Bem, nesse caso, acho a ocasião bem oportuna para lhe dar uma certa explicação. Eu sou o advogado de Selina. — George nada comentou a respeito disso. — E eu sinto dizer que, indiretamente, a culpa por Selina ter feito essa viagem até San Antonio foi minha. Fui eu quem a presenteou com uma cópia do seu livro, e ela viu a sua fotografia na capa e se convenceu de que você era o pai dela. Ela falou comigo a respeito disso; disse-me que queria vir à sua procura, e eu sugeri que seria melhor que eu a acompanhasse, mas infelizmente fui obrigado a fazer uma viagem de negócios a Bournemouth para atender um cliente muito importante, e quando retornei a Londres, Selina já havia partido. Ela tinha viajado fazia, então, três ou quatro dias. Diante disso, naturalmente, eu peguei o primeiro vôo disponível para San Antonio, e... bem, acho que deveria levá-la de volta. — Eles se entreolharam. — Logicamente, você não é o pai dela — arrematou Rodney.

— Não, não sou. O pai dela está morto.

— Há, no entanto, uma semelhança singular. Até eu posso notar isso.

— Gerry Dawson foi um primo distante meu.

— Que coincidência extraordinária!

Pela primeira vez, Rodney pareceu um tanto embaraçado. — Sr. Dyer, não faço a mínima idéia das circunstâncias desta... visita pouco convencional de Selina, ou nem mesmo do que ela lhe disse a respeito de si própria. Mas ela sempre teve um grande desejo... uma obsessão, na verdade, de conhecer o pai. Foi criada pela avó, e sua infância foi diferente, para me exprimir de forma amena...

— Sim, ela me contou.

— Nesse caso, já que você conhece os fatos, tenho certeza de que estamos jogando no mesmo time.

— Sim, espero que sim. — Ele sorriu e acrescentou: — Diga-me, no entanto, por simples curiosidade: Qual seria a sua reação se eu realmente fosse o pai de Selina?

— Bem... — surpreendido pela pergunta inesperada, Rodney conseguiu apenas gaguejar. — Bem, eu... eu... — Mas acabou decidindo fazer da resposta uma espécie de gracejo, e disse, com riso e jovialidade: — Suponho que eu o procuraria pela ilha inteira, por onde quer que fosse, para pedir-lhe permissão.

— Pedir *permissão*?

— Sim. Um pouco tarde, é claro, pois já estamos noivos. Vamos nos casar no próximo mês.

— Perdoe-me. Não havia entendido — disse George. Suas palavras eram, em si mesmas, uma indicação do seu estado mental. Ele não tinha usado tal formalidade fazia muitos anos, desde os dias de Bradderford, dias de festas requintadas e dos bailes do Clube de Caça, e pensou que ela tinha sido relegada a completo desuso. Mas eis que ela lhe ressurgiu na ponta da língua, arrancada do seu subconsciente por um simples choque.

— Nós já estamos noivos. Você certamente sabia disso...?

— Não, não sabia.

— Você quer dizer que Selina não lhe disse? Selina é uma garota extraordinária.

— Por que diabos ela deveria ter-me dito? Não é da minha conta se ela é noiva ou não.

— Não, mas você teria achado que seria importante. Essa é a primeira coisa que ela deveria ter-lhe dito. — *Seu casquilho convencido* — pensou George. — Mas isso não vem ao caso. Agora que você tem conhecimento desse detalhe, tenho certeza de que entenderá que eu preciso levá-la de volta para Londres, e tão brevemente quanto possível.

— Sim, claro.

Rodney passou calmamente por ele e saiu ao terraço. — Que vista maravilhosa! Você disse que Selina estava nadando? Não a estou vendo.

George juntou-se a ele. — Ela deve estar do outro lado do iate. Vou buscá-la para você... — E então ele se lembrou de que não podia, pois ela havia levado o bote. Mas logo depois atinou que havia como chegar lá, já que poderia pegar o bote de Rafael — o primo de Tomeu — emprestado. — Olhe... você poderia esperar aqui? Sente-se e fique à vontade. Não vou demorar.

— Você não acha que eu deveria ir também? — Rodney pareceu-lhe, na verdade, pouco propenso a acompanhá-lo, e George disse:

— Não há necessidade. Além disso, o barco está cheio de escamas de peixe. Você poderia estragar o terno.

— Bem, se você acha que não há mesmo necessidade de eu ir... — E, diante dos olhos de George, Rodney puxou uma das cadeiras de junco para o sol, e acomodou-se nela elegantemente, compondo no espelho das retinas do anfitrião de Selina o quadro típico de inglês bem-nascido numa visita ao exterior.

George arrastou o bote do primo de Tomeu rampa abaixo, até a água, praguejando a cada ofego. O bote era comprido, e pesado, e difícil de manejar, e tinha apenas um remo. Assim, ele teve de gingar, o que fazia ineptamente, e isso por si só era-lhe enfurecedor, pois enquanto se esfalfava, Rodney Ackland se reconfortava pomposamente no terraço, com o rosto imberbe e um semblante de tranqüilidade, economizando a voz macia e educada e o cinzento terno engomado, observando George impassivelmente. George prosseguia, balançando, suando e praguejando, rasgando esforçadamente a resistência das águas para chegar até onde o *Eclipse* se encontrava, mas quando dele se aproximou, chamou por Selina e não obteve resposta.

Ele manobrou o barco pesadão em torno da amarra do *Eclipse*, e avistou Selina imediatamente, encarapitada como uma sereia numa das pedras de uma praia próxima. Ela tinha subido as escadas que se projetavam pelas águas da baía adentro e que davam acesso a uma vila cuja arquitetura mais parecia um bolo de casamento, a qual se aninhava entre pinheiros. Ela agora estava sentada na pedra, abraçando os joelhos, e trazia os cabelos umidamente empastados no pescoço, como o pêlo de uma foca. George acostou o bote a bombordo do *Eclipse*. Ele recolheu o remo a bordo e pôs-se de pé, e levou as mãos à boca imitando a forma de uma concha para chamá-la novamente.

— Selina! — Empregou toda a força dos pulmões, exclamando o vocativo com o hálito eivado de furioso brado, e ela ergueu o olhar imediatamente. —Venha. Preciso falar com você.

Depois de não mais que um instante de hesitação, ela se levantou e desceu os degraus pintados de branco, entrou na água lentamente e nadou na direção do *Eclipse*, ao encontro de George. Quando ela alcançou o bote, não conseguiu subir de imediato, pois a borda era muito alta, e em razão disso ele teve de enganchar-lhe as mãos por sob as axilas e içá-la a bordo, molhada e respingando como um peixe que tivesse acabado de ser pescado. Eles se sentaram, cada um numa bancada e frente à frente, fitando-se mutuamente, e então ela disse:

—Desculpe. Você estava precisando do bote?

Ocorreu a George que qualquer outra mulher teria exigido, antes de ouvir-lhe as primeiras palavras do dia, uma desculpa pela atitude dele na noite anterior Mas Selina não era uma mulher qualquer.

—Espero que você não se tenha incomodado por eu tê-lo tomado emprestado...

—Não, claro que não.

— Você estava dormindo quando eu desci. Tive de abrir a porta para Juanita. — Ele ficou observando Selina falar, sem escutar o que ela dizia, tentando reconciliar-se com a surpreendente notícia de que ela iria casar-se com Rodney Ackland, de quem era noiva já havia algum tempo, e com o fato de que nada dissera a ele sobre isso.

— ... e a sua amiga está bem? Espero que ela não tenha ficado muito aborrecida.

—Minha amiga? Oh!, sim, Francis. Não sei se ela está aborrecida ou não. Ela voltou ontem mesmo para San Antonio. De qualquer forma, você não teve culpa. Ela se acalmará e tudo será esquecido.

— Eu não deveria ter voltado para a Casa Barco. Eu entendo isso agora, mas...

George não pôde suportar mais. — Selina.

Ela franziu os sobrolhos. — Há algo errado?

— Escute. Há uma pessoa esperando por você na Casa Barco. Ele veio buscá-la e levá-la de volta para Londres. Rodney Ackland.

Selina pareceu congelar de surpresa. Sua boca pareceu articular "Rodney", mas não emitiu som algum.

— Ele chegou de Londres de avião ontem à noite. Quando voltou de Bournemouth, soube que você tinha vindo para San Antonio sozinha, e assim pegou o primeiro vôo que partiu com destino à ilha. Eu disse a ele que eu não era seu pai, e, devo lhe dizer, ele não me pareceu particularmente surpreso. Mas ele quer falar com você.

A brisa bafejou-lhe sopros de frio vento e Selina estremeceu. George observou-lhe por rápidos instantes a fina corrente de ouro, desaparecendo por dentro da peça superior do diminuto biquíni que ele comprara para ela, mas agora ele sabia que não era a Cruz da Confirmação que dela pendia. Ele estendeu o braço e segurou-lhe a corrente, deixando parte dela pender-lhe livremente da mão, e o anel de noivado, com uma safira e vários diamantes, que Rodney Ackland lhe dera, balançava e girava diante dos olhos dele, devolvendo de cada faceta, em forma de finíssimas setas de intensa rutilância, a luz do sol refletida.

— Selina, por que você não me falou sobre isso?

Os olhos dela, naquele momento, pareciam quase tão azuis quanto a safira que lhe balançava suspensa abaixo do queixo. — Não sei.

— Você está noiva de Rodney? — Ela acenou afirmativamente com a cabeça. Você vai se casar com ele no próximo mês? — Ela repetiu o gesto. — Mas por que fazer disso um segredo?

— Não é um segredo. Eu falei com Rodney sobre você. Eu disse a ele que achava que George Dyer era meu pai. E queria que ele viesse comigo e me ajudasse a procurá-lo. Mas ele não pôde vir. Tinha negócios a tratar em Bournemouth, e nunca imaginou que eu pudesse vir sozinha. Ele disse que se você realmente fosse meu pai, ficaria embaraçado com a minha aparição repentina. E se você não fosse meu pai, então seria tudo uma grande e tola perda de tempo. Ele parecia não entender o quanto era importante para mim ter raízes e uma família, e realmente pertencer a alguém.

— Você já o conhece há muito tempo?

— Desde criança. A firma dele sempre cuidou dos negócios de vovó. Ela o estimava muito, e tenho certeza de que gostaria que eu me casasse com ele.

— E agora você vai se casar.

— Sim. Eu geralmente acabava fazendo o que ela queria. — Os olhos de George pareceram-lhe ganhar o brilho de súbita compaixão, mas Selina não pôde suportar a idéia de vê-lo sentir pena dela. — Nós vamos nos mudar de Queen's Gate. Encontramos um adorável apartamento num outro bairro. Gostaria que você pudesse conhecê-lo. Ele recebe muita luz do sol e tem uma vista maravilhosa. Agnes vai morar conosco. Eu já até comprei o vestido de casamento. Ele é creme, e muito comprido. E tem cauda.

— Mas você usa o anel de noivado escondido, ao invés de usá-lo no dedo.

— Achei que você fosse meu pai. Eu queria vê-lo, pela primeira vez, apenas como sua filha, e não como pertencendo a outrem, ou tendo um outro tipo de vida, distante da condição filial.

— Você está apaixonada por ele?

— Eu perguntei isso a *você* ontem, e você não quis responder.

— O meu caso era diferente. Nós estávamos conversando sobre o passado e o seu caso está relacionado ao futuro.

— Sim, eu sei. É isso que o faz tão importante.

George nada argumentou com relação a isso. Selina levou as mãos ao pescoço e soltou a corrente. O anel saiu da corrente e ela o colocou de volta no dedo e depois tornou a prendê-la no pescoço. Realizou tais gestos com cautela e muita serenidade. E afinal, ela disse:

— Não devo deixar Rodney esperando.

— Não, claro que não. Volte para lá no bote, e eu a seguirei com este grande caixote de Rafael. Mas não parta sem antes se despedir de mim.

— Eu nunca faria isso. Você sabe que eu nunca faria.

Depois de algum tempo, Rodney achou que o terraço havia ficado muito quente para esperá-los lá. Ele poderia ter tirado o paletó, mas estava usando suspensórios, e considerava algo quase indecente demorar-se num ambiente como o terraço trajado daquela forma. Portanto, levantou-se da cadeira de junco e procurou o fresco interior da casa. Deteve-se na sala, caminhando de um lado para o outro, tentando entender a arquitetura nada convencional da casa, quando Selina, despercebida e silenciosa, e começando a subir as escadas do terraço, chamou-o pelo nome.

Detendo sua ansiosa inquietação, Rodney virou-se.

Selina estava parada na soleira da porta. Ele a fitou com olhos de incredulidade. Não podia acreditar que uma pessoa pudesse mudar tanto em tão pouco tempo. Sempre tivera na mente uma imagem ímpar de Selina: branca, cabelos ruivos, e com a sua monocromática fisionomia apenas realçada pelo olhar azul-brilhante, belamente tonalizado da felina gracilidade dos olhos de um siamês. Mas agora se surpreendia com o seu bronzeado intenso, e com os seus cabelos — antes um amarelo tostado — e ainda molhados pelo banho de mar, pendendo-lhe do escalpo com mechas alouradas e outras quase brancas, um presente do mágico conúbio das águas salgadas com os raios do sol. Ela estava usando um biquíni que, aos olhos de Rodney, estava a um passo do limite do puro mau gosto, e enquanto ela na porta se entretinha, observando-o, o grande gato branco que estivera se banhando no escaldante sol do terraço veio enroscar-se-lhe afeiçoadamente nos tornozelos desnudos.

Vivenciaram momentos de estranho embaraço. Então, Selina disse:

— Oi, Rodney. Que surpresa. — Ela tentou tonalizar a voz de contentamento, mas, subconscientemente, pronunciou a última sílaba do pequeno enunciado com reduzida e triste entonação.

— Sim — tornou Rodney — eu achei que seria. — Não era fácil acreditar que ele tinha acabado de chegar de Londres, que havia ficado a noite inteira com todas aquelas roupas, que havia caminhado da vila até a Casa Barco por aquela estrada pedregosa e poeirenta. Seus sapatos estavam cobertos por uma fina camada de poeira avermelhada, mas sob outros aspectos ele conservava a mesma irrepreensível apresentação que exibia em casa. Ele veio até ela para beijá-la, colocando as mãos em seus ombros, depois afastou Selina um pouco e ergueu os sobrolhos para manifestar-lhe feições de branda reprovação do biquíni que ela estava usando. — Que coisa é essa com que você está vestida?

Ela deu de ombros. — É tudo o que eu tenho para nadar. — Havia um velho roupão de banho de George pendurado no varal, e ela foi até o terraço para pegá-lo, e o vestiu. A toalha da vestimenta estava endurecida e ressequida pelo sol e pelo sal da água do mar, e tinha o cheiro de George. Ela o prendeu fortemente em torno da cintura, e de uma forma inexplicável a peça de roupa parecia confortá-la e reforçar-lhe a coragem.

— Foi uma travessura sua ter vindo para cá sem me avisar. Eu quase enlouqueci de tanta preocupação.

— Você já tinha ido para Bournemouth.

— Eu telefonei para sua casa assim que retornei para Londres e Agnes me revelou onde você estava — disse ele, acrescentando: — Resolvi vir logo, logicamente, no primeiro vôo disponível.

— Foi muito gentil da sua parte, Rodney.

— O que acha de voltarmos para casa?

— Eu já teria voltado antes se não tivesse tido todo o meu dinheiro roubado no aeroporto, e em razão disso não pude comprar a passagem de volta.

— Você poderia muito bem ter entrado em contato comigo; eu teria enviado um cabograma para um banco da ilha e você receberia o dinheiro necessário.

— Eu... eu não queria incomodá-lo. — E — acrescentou ela, num rebento de honestidade — eu achei que você simplesmente diria "Eu lhe avisei." Pois você estava certo e eu estava errada; George Dyer não era meu pai... não é meu pai...

— Eu teria tentado compreender ao invés disso.

— Mas então agora você entende que eu precisava descobrir se ele era ou não meu pai? — Selina formulou a pergunta como que num apelo à compreensão amiga de Rodney, mas ele não a compreendeu.

— Sinto em dizer que eu ainda acho que teria sido melhor se você me tivesse deixado descobrir a verdade para você.

— Mas eu lhe pedi para vir comigo. Eu queria que você tivesse vindo, mas você não quis.

— Não foi bem assim. Eu não pude. Você sabe disso.

— Você poderia ter adiado o compromisso com a Sra. fulana-de-tal.

— Selina! — Ele estava profundamente chocado, e percebeu então, talvez pela primeira vez, que as mudanças nela não eram apenas físicas, porém mais profundas e sutis.

Ela respirou profundamente.

— De qualquer modo — disse ela — eu não me arrependo de nada. Fiquei muito contente por ter vindo, mesmo sabendo agora que George não é meu pai. E se fosse necessário, eu faria tudo outra vez.

Eram palavras convidativas de uma acalorada discussão, mas antes que Rodney pudesse pensar e replicar, eles receberam a companhia de George Dyer, que tinha subido as escadas do terraço, recolhido Perla nos braços, e se juntado jovialmente à conversa dos dois.

— Bem, isto não é ótimo? Vocês encontraram um ao outro novamente. Que tal um drinque para nos refrescarmos todos?

— Não quero tomar nada, obrigado — disse Rodney, formalmente.

— Um cigarro, então?

— Não, agora não — respondeu ele, pigarreando em seguida. — Eu estive falando com Selina que achava que seria melhor voltarmos para Londres o mais brevemente possível. Meu táxi está esperando neste momento no Hotel Cala Fuerte; podemos seguir direto para o aeroporto.

— Quanta organização — disse George.

Rodney pousou o olhar por rápidos instantes no rosto de George para ver se este estava rindo dele, mas os escuros olhos de George patenteavam desafetada solenidade. Mesmo assim, não totalmente seguro disso, Rodney voltou-se para Selina e disse:

— Talvez fosse melhor você arrumar as coisas. Onde esteve se hospedando?

Fez-se um longo silêncio. Rodney olhou para Selina. Selina olhou para George e depois tornou a olhar para Rodney. George, com grande indiferença relativamente à questão, acariciava Perla.

— Aqui — respondeu Selina.

Rodney pareceu empalidecer visivelmente. — *Aqui*?

— Sim. Aqui. Na Casa Barco.

— *Dormindo* aqui?

— Não havia nenhum outro lugar...

Ela estremeceu ligeiramente e George sabia que estava nervosa. Rodney, contudo, não pareceu se dar conta disso, pois quando tornou a falar, seu tom de voz carreava as palavras repassadas de grande frieza.

— E você não achou isso no mínimo indecoroso?

George largou Perla abruptamente numa cadeira próxima e se envolveu na discussão. — Eu não acho que tenha sido indecoroso. Afinal de contas, não esqueçamos, Selina é minha prima.

— E também não esqueçamos o quão distante. Aliás, isso não vem nem um pouco ao caso.

— Então o que vem ao caso?

— Bem, Selina apareceu aqui sem ser convidada, sem avisar, uma completa estranha para você, e você a deixou *ficar;* morando nesta casa — praticamente, de acordo com o que posso entrever, dormindo no mesmo quarto. Eu aprecio muito a renúncia que você se impôs desconsiderando a preservação de sua reputação, mas para o bem de Selina você certamente poderia ter providenciado uma outra forma de hospedá-la.

— Talvez nós não tenhamos desejado — disse George.

Rodney perdeu o controle de si. — Sinto muito, sr. Dyer, mas obviamente não falamos a mesma língua. Acho as suas atitudes insuportáveis.

— Sinto muito também.

— Você sempre confere tão pouca estima aos preceitos morais?

— Sim, sempre. Eles não me pertencem.

Rodney entreteve por alguns instantes o desejo de agredi-lo, mas, afinal, achou que George era digno de desprezo e devia ser ignorado. Virou-se para Selina.

— Selina... — Ela pareceu visivelmente assustada. — Peço-lhe desculpas por isso. Vou lhe dar um crédito e fazer-me crer que nada do que aconteceu foi por sua culpa. Estou plenamente disposto a esquecer tudo isso, mas precisamos ter certeza de que nenhum detalhe de sua passagem por Cala Fuerte jamais chegue até Londres.

Selina o fitou seriamente. O rosto dele era liso e bem barbeado. Não parecia ter rugas de espécie alguma, e ela achava impossível imaginá-lo envelhecendo, experiente e com a fisionomia agradavelmente cansada. Ele seria o mesmo aos 80 anos: impessoal e tão engomado quanto uma camisa quando sai da tinturaria.

— Por quê, Rodney? — perguntou ela.

— Eu... eu não gostaria que o sr. Arthurstone soubesse.

Foi uma resposta tão ridícula que ela teve vontade de rir. O sr. Arthurstone, com os joelhos afetados pela artrite, era quem a acompanharia até o altar... O que diabos isso tinha a ver som o sr. Arthurstone?

— Bem — Rodney relanceou os olhos pelo relógio —, não há mais tempo a perder. Vista alguma roupa para que possamos partir.

George estava acendendo um cigarro quando Rodney disse isso. Ele apagou o fósforo, tirou o cigarro da boca e falou:

— Ela não pode seguir para Londres com você. Ela perdeu o passaporte.

— Ela... o quê?

— Perdeu o passaporte. Aconteceu ontem. Parece inacreditável.

— É verdade, Selina?

— Oh. Eu... bem, sim...

George induziu Selina a silenciar-se. — Claro que é verdade. Caro sr. Ackland, você não pode ter a mínima idéia de como são as coisas na ilha. Eles lhe roubariam o ouro dos dentes se pudessem botar as mãos nele.

— Mas o *passaporte*... Selina, você tem consciência de quão grave é isso?

— Bem... eu... — gaguejou ela.

— Você informou o cônsul inglês?

— Não — respondeu George, tomando-lhe a iniciativa uma vez mais —, mas ela comunicou aos membros da *Guardia Civil* no aeroporto, e eles foram muito compreensivos e atenciosos.

— Admira-me que eles não a tenham mandado direto para a prisão.

— Fiquei admirado também, mas não deixa de ser maravilhoso o milagre que um belo sorriso é capaz de fazer, até mesmo na Espanha.

— Mas que providências vamos tomar?

— Bem, agora que você me perguntou, sugiro que caminhe de volta para o hotel e entre naquele táxi e retorne para Londres, e deixe Selina aqui comigo... Não — ele interrompeu os furiosos e incipientes protestos de Rodney — acho que realmente é a melhor solução. Talvez você possa mexer os pauzinhos lá na sua cidade, e nós aqui vamos cuidar para que ela fique longe da prisão. E não se preocupe tanto com as convenções, meu velho. Afinal de contas, eu sou provavelmente o parente mais próximo de Selina, e estou em perfeitas condições de me responsabilizar por ela...

— Responsabilizar-se? Você? — Ele fez um último apelo a Selina. — Certamente você *não quer* ficar aqui? — Rodney quase explodiu só de pensar numa resposta positiva.

— Bem... — Sua hesitação foi suficiente para convencê-lo.

— Você me espanta! O seu egoísmo me espanta! Você não parece entender que não é apenas o seu bom nome que está em jogo. Eu tenho uma reputação a preservar também, e acho a sua atitude simplesmente inacreditável! Tremo só de imaginar o que o sr. Arthurstone poderá dizer.

— Mas você poderá explicar-lhe tudo, Rodney. Tenho

certeza de que você saberá explicar-lhe o que aconteceu. E acho que... enquanto você estiver explicando, seria melhor dizer-lhe que ele não precisará ser mais o nosso padrinho de casamento. Eu realmente sinto profundamente, mas estou certa que, de alguma forma, será um alívio para você. Afinal de contas, você não iria querer ter-me como um fardo, não depois do que aconteceu. E... aqui está o seu anel...

Ela o manteve na palma da mão com o braço estendido, para devolver-lhe o brilho dos diamantes e o profundo, rutilante azul da safira que ele havia imaginado que os uniria eventualmente em perene matrimônio. Rodney desejou ardentemente ter a coragem para realizar o grandioso gesto, qual fosse, o de arrebatar-lhe o anel da mão e arremessá-lo por sobre o muro do terraço, em direção ao mar, mas a jóia lhe havia custado muito dinheiro, e diante disso ele engoliu o próprio orgulho e o pegou de volta.

— Sinto muito, Rodney.

A atitude mais correta a ser tomada em tal circunstância parecia ser manter um silêncio varonil. Rodney deu meia-volta e se dirigiu para a porta, mas George já estava lá, mantendo-a aberta para que Rodney saísse.

— É uma pena que você tenha feito uma visita tão improdutiva. Você deveria vir a Cala Fuerte no final do ano, quando então a ilha fica mais animada. Tenho certeza de que você adoraria esquiar, mergulhar e pescar com arpão. Foi muito bom você ter vindo.

— Por favor, não pense, sr. Dyer, que eu e os meus sócios o deixaremos safar-se dessa impunemente.

— Não estou pensando nada no momento. Estou certo, entretanto, de que o sr. Arthurstone terá algumas idéias brilhantes debaixo da manga, e eventualmente eu serei o destinatário de uma carta formalmente malcriada. Certamente eu não lhe poderia dar uma carona até a vila...?

— Obrigado, prefiro caminhar.

— Oh, bem, *chacun à son gout*. Foi maravilhoso conhecê-lo. Adeus.

Rodney não respondeu, mas simplesmente saiu da casa sob furioso silêncio. George o observou afastar-se ladeira acima, e logo depois que Rodney desapareceu na extensão da própria caminhada, ele fechou a porta.

George voltou-se para Selina. Ela estava em pé no meio da sala, detendo-se ainda no mesmo lugar em que Rodney a tinha deixado, e dava a impressão de que estivesse aguardando uma outra discussão, mas ele apenas disse, num de seus tons de voz mais serenos:

— Você deveria fazer uma espécie de eletroencefalograma. É difícil imaginar que você iria se casar com um homem daqueles. Você passaria a metade do seu tempo escolhendo algo mais apropriado para vestir, e a outra metade procurando saber o significado de uma enorme lista de palavras no dicionário. E a propósito, quem é o sr. Arthurstone?

— Ele é o sócio majoritário da firma para a qual Rodney trabalha. Ele é bastante idoso e tem artrite nos joelhos.

— E ele iria conduzi-la até o altar?

— Não havia outra pessoa.

Era uma triste confissão. — Você está se referindo ao sr. Arthurstone ou a Rodney? — perguntou ele.

— A ambos, suponho.

— Talvez — disse George gentilmente — você estivesse sofrendo de uma grave crise de fixação paterna.

— Sim. Talvez estivesse.

— E agora?

— Agora, não.

Ela estremeceu, e ele sorriu. — Sabe, Selina, se eu realmente nunca tivesse vivenciado esses momentos, jamais teria achado possível que alguém pudesse aprender tanto sobre o caráter de uma pessoa num espaço de tempo tão incrivelmente curto. Por exemplo, eu sei que quando você mente, seus olhos ficam tão arregalados e tão grandes que o azul da íris dá a impressão de que vai sumir no branco da esclerótica. A íris e a pupila parecem minúsculas ilhas sendo engolfadas pelas águas de um mar branco. E quando você está tentando evitar sorrir de alguma coisa escandalosa que eu tenha dito, você deixa descair os cantos da boca e esculpe, como que por encanto, graciosas covinhas nas bochechas, evidenciando refreada hilaridade. E quando você está nervosa, você estremece totalmente. Você está nervosa agora.

— Não estou nervosa. Estou sentindo frio por ter nadado.

— Então vá lá em cima e vista alguma roupa.

— Preciso lhe dizer algo primeiramente.

— Isso pode esperar. Vá logo e vista-se.

Ele saiu ao terraço para aguardá-la ao amparo da brisa e contemplar, quiçá pela milésima vez, a beleza do mar. Acendeu um cigarro e observou-lhe a ponta esbrasear-se, ao mesmo tempo que asilava nos ombros a ardente impressão dos raios de sol a atravessar-lhe o fino tecido de algodão da camisa. Rodney Ackland havia partido para bem longe da Casa Barco, e tinha saído da vida de Selina. Do mesmo modo que Jenny, seu fantasma esconjurado para sempre, o malfadado caso amoroso terminantemente exorcizado pelo simples fato de ter falado a Selina a respeito dele. Jenny e Rodney faziam agora parte do passado, e o presente afigurava-se-lhe reconfortante e agradável; o futuro, tão esperançoso e tão cheio de prazerosas surpresas quanto um presente de Natal.

Abaixo dele, no jardim, Juanita estendia os lençóis, ainda cantarolando alegremente para si mesma e aparentemente ignorando o drama acontecido enquanto efetuava a matinal lavagem das roupas. George sentiu o peito encher-se de um súbito rebento de afeto por ela. Ninguém sabia melhor do que ele mesmo que a sua estrada pessoal para o inferno sempre havia sido pavimentada com boas intenções, mas agora prometia a si mesmo que quando o novo livro fosse publicado, daria a ela não apenas uma simples cópia de cortesia, mas algo mais. Algo que ela desejasse intensamente, o qual ela nunca pudesse comprar por si mesma. Um vestido de seda, ou uma jóia, ou um bom fogão a gás novo.

O ruído dos passos de Selina ressoando atrás dele o fizeram virar-se. Ela trajava um vestido de linho sem mangas e da cor de damascos, e sandálias de saltos baixos, mas que a faziam ficar tão alta quanto ele, e ele se sentia admirado de como havia levado tanto tempo para perceber o quanto ela era bonita. — Esta é a primeira vez que a vejo convenientemente vestida. Fico feliz por você ter recuperado a sua bagagem — disse ele.

Selina suspirou profundamente, e depois disse:

— George, preciso conversar com você.

— Sobre o quê?

— Meu passaporte.

— O que houve com ele agora?

— Bem. Sabe. Na verdade, eu não o perdi.

Ele sobressaltou-se fingidamente, e estampou no rosto um semblante de grande e simulada surpresa. — *Não*?

— Não. Bem... eu... ontem à tarde, antes de seguir para o aeroporto com Pepe... eu o escondi.

—Selina — tornou ele, repassando as palavras de profunda e sonsa indignação. — Como você foi capaz de fazer uma coisa horrível como essa?

— Eu sei que foi horrível, mas eu não queria ir. Eu não queria deixá-lo com a sra. Dongen. Eu sabia que ela não queria que você escrevesse o segundo livro. Ela queria que você partisse com ela para a Austrália ou para o Deserto de Gobi ou outro lugar qualquer. Assim, quando fui até a cozinha para pegar a soda na geladeira, eu... — Selina engoliu em seco. — Eu escondi o passaporte no recipiente do pão.

— Mas que coisa incrível que você fez!

— Sim, eu sei. Mas estava apenas pensando em você, e o que eu estou tentando dizer é que agora não há mais razão para que eu não volte para Londres com Rodney. Quero dizer, eu não me casarei mais com ele, claro. Agora entendo como fui tola só de pensar em fazê-lo. Mas não posso ficar aqui indefinidamente — disse ela, tonalizando as últimas palavras de modulações de terminante incerteza. Mas George não parecia ajudar de forma alguma. — Você entende, não entende? — arrematou Selina.

— Bem, sim, claro que entendo. — George estampou no rosto o semblante de uma pessoa disposta a lançar mão de irrestrita honestidade. — E nós devemos fazer a coisa certa.

— Sim... sim; foi exatamente isso o que pensei.

— Bem — prosseguiu ele, estimulando-a, depois de dar uma olhadela no relógio — se você vai com Rodney, acho melhor arrumar as coisas, senão ele entrará naquele táxi e partirá antes mesmo que você chegue ao Hotel Cala Fuerte..

E ante o olhar de incredulidade de Selina, ele se levantou, limpou as marcas da caiação do fundo das calças, e logo depois estava sentado à escrivaninha, curvado sobre a máquina de escrever, retomando o início da sinopse interrompida, voltando a trabalhar intensamente, como se a sua vida dependesse disso.

Não foi exatamente a reação que Selina estivera esperando. Ela esperava manobrar o andamento dos fatos de modo que conseguisse arrancar-lhes uma espécie de adiamento de sua partida. Mas não conseguiu, e diante disso, e tentando engolir o nó na garganta e desfazer a sensação de uma insuportável vontade de chorar requeimando-lhe nas fontes da alma, ela se dirigiu para a cozinha, pegou o recipiente de pão e o esvaziou, naco por naco, sobre o balcão, removendo eventualmente a folha de papel sob a qual ela havia escondido o passaporte.

Mas não estava lá. Lágrimas, desapontamento, tudo parecia soçobrar sob as ondas revoltas de um mar de sentimentos remexido por um pânico intenso. Seu passaporte havia realmente desaparecido.

— George! — Ele estava datilografando tão intensamente que não pôde ouvi-la. — George, eu... *eu perdi o passaporte.*

Ele interrompeu o trabalho e ergueu-lhe polidamente as sobrancelhas. — Novamente?

— Não está aqui! Eu o coloquei bem no fundo do recipiente e ele não está mais aqui! Eu o perdi!

— Meu Deus! — tornou George.

— O que pode ter acontecido? — perguntou ela, com a voz tomada de desesperadora lamúria. — Será que Juanita o achou? Será que ela esvaziou o recipiente para limpá-lo e queimou o passaporte? Ou o jogou fora?! Talvez ele tenha sido roubado. Oh, o que vai ser de mim?

— Não gosto nem de pensar...

— Gostaria de jamais tê-lo colocado ali!

— Você foi vítima das próprias maquinações — disse George, sonsamente, e voltou a datilografar.

Finalmente, Selina sentiu-se visitar por incipientes suspeitas, e franziu os sobrolhos. Certamente não estaria ele se comportando de uma forma artificialmente calma? Além disso, havia um brilho nos seus escuros olhos que ela tinha aprendido a não confiar. Teria ele encontrado e depois escondido o documento, sem nada ter dito a ela? Após abandonar o recipiente vazio sobre o balcão da cozinha, ela começou a rondar atentamente a sala, mas procurava pistas casualmente, levantando as pontas das revistas, espiando atrás de almofadas, como se ela estivesse brincando de tá-quente-tá-frio.

Acabou parando atrás dele. George estava usando sua velha calça *jeans* manchada pela salgada água do mar, e o bolso traseiro direito afigurou-se aos olhos de Selina curiosamente retangular e rigidamente intumescido, como se contivesse um livrete, ou um grande cartão... Ele ainda estava datilografando afanosamente, mas quando Selina estendeu o braço para examinar-lhe o bolso, George levou uma das mãos rapidamente às costas e afastou a mão dela com um inofensivo tapa.

O pânico havia cessado. Ela riu, de alívio; de felicidade; de amor. Ela enlaçou-lhe o pescoço nos braços e quase o estrangulou num abraço de alegria, e disse:

— Você está com ele! Você o encontrou! Você estava com ele o tempo todo, seu malvado!

— Você o quer de volta?

— Não, a menos que você queira que eu volte para Londres com Rodney.

— Não, não quero.

Ela o beijou, roçando seu rosto delicado na face áspera de George, a qual, ao contrário da de Selina, carecia de maciez, e era enrugada e intensamente queimada pelo sol, tão avelhantada e familiar quanto uma das suas camisas de algodão amarrotadas, usadas para trabalhar. — Eu também não quero ir — disse ela. — Ele havia datilografado uma folha inteira. Selina apoiou o queixo na cabeça dele e perguntou:

— O que você está escrevendo?

— Uma sinopse.

— Do novo livro? É sobre o quê?

— Uma viagem ao Mar Egeu.

— Que título você o dará?

— Ainda não tenho a mínima idéia, mas eu o dedicarei a você.

— Vai ser um bom livro?

— Espero que sim. Sabe, já tenho uma boa idéia para escrever o terceiro. Ficção, dessa vez... — Ele pegou a mão dela e a fez contornar-lhe as costas e sentar-se na beirada da escrivaninha, para que ela pudesse olhá-lo de frente. — Acho que poderia ser sobre um certo sujeito, vivendo num lugar pequeno e tranqüilo, um homem incapaz de fazer mal a uma mosca, e que trata de cuidar apenas de sua vida. E então, aparece uma garota vadia. Ela tem verdadeira obsessão por ele. Não o deixa em paz de forma alguma. Ela o faz perder todos os amigos, todo o dinheiro, e o faz afundar-se na bebida. Ele se torna um indigente, um pária social.

— O que acontece no final da história?

— Ele se casa com ela, claro. Ela o induz a isso. Não há como escapar. É trágico.

— Não me parece trágico.

— Bem, mas deveria.

— George, você, por acaso, está me pedindo em casamento?

— Suponho que, do meu jeito perverso e pervertido, estou; desculpe por ontem à noite. E, a propósito, eu a amo.

— Eu sei disso. — Ela se inclinou para beijar-lhe a boca. — Estou muito feliz com isso. — Ela o beijou novamente, e ele empurrou a máquina de escrever para o lado, e se levantou e a envolveu em seus braços. Pouco depois, Selina disse:

— Precisamos informar Agnes.

— Ela não vai vir aqui e tentar estragar tudo?

— Claro que não. Ela vai adorar você.

— Teremos de enviar-lhe um cabograma. De San Antonio. Esta tarde, se quisermos que ele chegue antes de Rodney Ackland. E enquanto estivermos na cidade, iremos até a igreja anglicana e conversaremos com o padre e procuraremos saber em quanto tempo poderemos estar casados. E pediremos a Rudolfo para ser o nosso padrinho de casamento...

— Gostaria de poder ter Juanita como dama de honra.

Juanita. Eles se haviam esquecido de Juanita. Ainda rindo, e de mãos dadas, saíram ao terraço para encontrá-la, para debruçar-se-lhe sobre o muro e chamá-la. Mas Juanita não era tão simplória quanto parecia às vezes. Seus instintos de camponesa raramente a deixavam enganar-se, e como que se lhes antecipando ao chamamento, ela já estava saindo do jardim e logo se pôs a subir as escadas do terraço, com a postura empertigada como sempre e exibindo no rosto um sorriso de grande contentamento, e com os braços abertos estendidos, como que para abraçar a ambos.

Este livro foi impresso no
Sistema Digital Instant Duplex da Divisão Gráfica da
DISTRIBUIDORA RECORD DE SERVIÇOS DE IMPRENSA S.A.
Rua Argentina, 171 - Rio de Janeiro/RJ - Tel.: (21) 2585-2000